PROGRAMME
détox

VITALITÉ, JEUNESSSE ET BIEN-ÊTRE

p

Création et conception :
Bridgewater Book Company Ltd

Photographies :
Calvey Taylor-Haw

Copyright © Parragon Books Ltd 2006
pour l'édition française

Réalisation : InTexte, Toulouse
Adaptation française : Marie-Line Hillairet,
avec le concours de Nicolas Blot

ISBN 10 : 1-40547-791-1
ISBN 13: 978-1-40547-791-8

Imprimé en Chine
Printed in China

Crédits photographiques : CORBIS, pages 17, 22, 99.

SOMMAIRE

INTRODUCTION

COMMENT UTILISER CE LIVRE

La détoxication consiste à se débarrasser de ses toxines et de ses tensions grâce à un régime alimentaire et à des thérapies corporelles et psychiques. Cette pratique naturelle est mise en œuvre depuis des millénaires, sous diverses formes, partout dans le monde. De l'avis général, les programmes de détoxication sont des passeports pour la santé ; preuve en est la popularité qu'ils ont acquis ces dernières années, même si leur efficacité n'a pas encore été prouvée d'un point de vue médical. Leurs effets sur l'organisme sont prodigieux : une mine superbe, une forme resplendissante, une énergie et une vitalité décuplées sont autant de bienfaits qui récompensent largement les efforts consentis.

Un problème : les toxines

Au quotidien, nous sommes en permanence exposés à une profusion de toxines externes (l'air pollué par les gaz d'échappement, la combustion des déchets industriels, les substances chimiques domestiques et la fumée de cigarette), mais aussi de toxines internes (les dérivés naturels de notre métabolisme). Ajoutons à cela les difficultés inhérentes au mode de vie occidental – l'excès de stress ainsi qu'une alimentation riche en graisses et en sucres nocifs qui délaisse les nutriments essentiels –, et notre organisme se trouve en état de surcharge toxique. Lorsque celui-ci ingère davantage de toxines qu'il n'en peut éliminer, notre santé paie le prix fort : nous sommes fatigués, « mal fichus », « au ralenti », et nous risquons également d'être importunés par des affections certes mineures mais néanmoins irritantes.

Nous avons tous besoin, à un moment ou à un autre, de nous détoxiquer et de nous purifier. Si vous avez une alimentation saine et équilibrée, sans excès particulier, vous aurez besoin d'une détoxication moins intensive que si vous mangez n'importe quoi, fumez et buvez. Une cure de détoxication, destinée à dorloter l'esprit et le corps, est l'occasion rêvée de passer en douceur à un mode de vie sain et équilibré.

Alléger la charge en toxines

La détoxication implique des changements d'alimentation et de style de vie afin de diminuer les toxines et de faciliter leur élimination. Cette opération peu onéreuse pourra aisément être mise en œuvre à domicile : elle embellira votre silhouette, stimulera votre bonne humeur, augmentera votre vitalité et contribuera à engendrer l'harmonie intérieure, fondement indispensable d'une bonne santé. En outre, la détoxication aidera votre organisme à récupérer des excès alimentaires et à minimiser les effets dévastateurs du stress.

Une approche naturelle

Pour obtenir un maximum d'effets bénéfiques sur la santé, ce programme de détoxication globale combine une alimentation hypoallergénique et alcalinisante à des thérapies corporelles détoxiquantes ainsi qu'à des soins esthétiques dynamisants. Ce processus doit se fonder sur un traitement s'appliquant simultanément au corps et à l'esprit, apte à initier une régénération non seulement physique, mais aussi émotionnelle et spirituelle. Son objectif est d'aider votre corps et votre esprit à se débarrasser en douceur de ses déchets et à leur substituer des aliments énergisants et des pensées positives.

COMMENT UTILISER CE LIVRE

Le chapitre un est une introduction à la détoxication. Il expose de quoi il s'agit et comment votre organisme peut bénéficier de ce « nettoyage de printemps ». Il explique également comment le préparer à se détoxiquer.

Le chapitre deux est consacré à la nutrition. Boire beaucoup d'eau et consommer quantité de fruits et légumes sont les éléments-clés du processus de détoxication. Vous découvrirez vite comment purifier votre organisme en mangeant les bonnes choses et en évitant les mauvaises. Ce chapitre propose également une information sur les compléments nutritionnels qui favorisent la détoxication et des conseils pour préparer et cuisiner les aliments en conservant un maximum de nutriments.

Le chapitre trois fournit un programme alimentaire incluant des ingrédients frais et crus, des tisanes et des jus, et excluant les aliments allergènes. Ce programme a pour vocation de stimuler les organes purifiants de l'organisme tout en mettant le système digestif au repos. Il propose des menus conçus pour vous offrir la ration quotidienne de nutriments requise, tout en éduquant votre organisme à l'évacuation des toxines ; il donne également de nombreuses recettes purifiantes destinées à l'élimination des substances nocives.

Le chapitre quatre est consacré à la détoxication du corps et de l'esprit. Les thérapies corporelles favorisent le drainage lymphatique, améliorent la tonicité musculaire et la circulation sanguine, et stimulent la digestion. Les exercices physiques et les soins esthétiques complètent le processus de détoxication. Ils stimulent également la circulation et favorisent la sudation, la respiration profonde et la souplesse en vous procurant plaisir et épanouissement, ce qui est important pour garder un bon moral. La détoxication mentale étant indispensable au bien-être et à la santé physiques, ce chapitre présente également des thérapies génératrices d'harmonie intérieure.

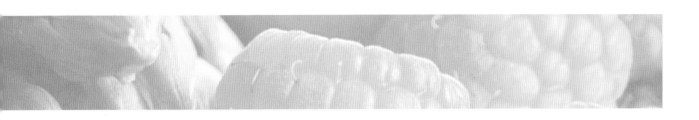

Le chapitre cinq propose un programme détox sur un week-end qui permettra à votre organisme de faire une courte pause en se libérant de sa charge de toxines habituelle et de retrouver un équilibre physique et mental. Si vous ne vous êtes jamais détoxiqué, n'hésitez pas à essayer les formules proposées – vous vous sentirez tellement bien que cette étape de purification deviendra indispensable à votre bien-être.

Le chapitre six vous apprend à réintroduire certains aliments. Il prodigue aussi de précieux conseils sur le « bien manger pour bien vivre » et prône une alimentation saine pour éviter les désagréments d'une détoxication drastique. Un passage est consacré aux lendemains de fête et à la « gueule de bois » : comment remédier aux abus d'alcool et pallier leurs effets nocifs en utilisant une médication nutritionnelle douce. Ne pensez pas que détoxication soit synonyme de privation, mais envisagez cette période comme l'occasion de réduire les polluants qui agressent votre organisme, de sorte qu'il fonctionne le plus efficacement possible. S'il vous arrive de faire un écart, soyez indulgent envers vous-même, mais tenez bon. Vous saurez véritablement quels en sont les bienfaits dès que vous commencerez à vous sentir mieux, plein d'entrain et d'énergie.

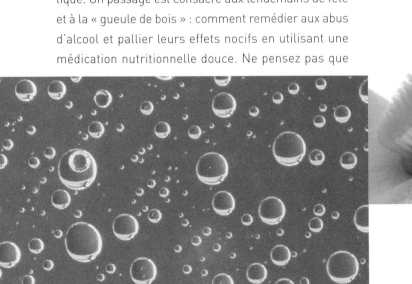

CHAPITRE UN

DÉTOXICATION, CE QU'IL FAUT SAVOIR

UN EXCÉDENT DE TOXINES

Une toxine est une substance ayant des effets nocifs sur l'organisme. Nous les puisons dans notre environnement en les respirant, en les ingérant ou par contact physique. Chaque jour, nous sommes exposés à de nouvelles substances chimiques, à une pollution accrue de l'air et de l'eau ainsi qu'aux radiations. Nous consommons plus de médicaments, plus de sucre et d'aliments transformés, et nous misons sur le tabac et l'alcool pour combattre le stress. L'organisme fabrique lui aussi des toxines. L'activité biochimique, cellulaire et physiologique génère des substances qui ont aussi besoin d'être éliminées. Le manque de sommeil, d'exercice ou de plein air, voire les attitudes négatives, sont également susceptibles de produire des déchets et des toxines dans l'organisme et d'entraver son autorégulation.

LES EFFETS NÉFASTES DU STRESS

Les situations stressantes déclenchent une réaction biochimique primaire qui met l'organisme en état d'alerte maximale. Si le stress perdure, il risque de nuire à la santé physique et mentale de l'individu car les deux hormones du stress, l'adrénaline et l'hydrocortisone, perturbent le bon fonctionnement des systèmes immunitaire et circulatoire ; l'organisme élimine alors les toxines moins efficacement.

En revanche, si l'organisme fonctionne correctement, avec un système immunitaire en bon état de marche, s'il élimine bien, l'individu parvient à gérer son exposition quotidienne aux toxines. Toutefois, s'il ingère davantage de toxines qu'il n'en élimine, son organisme sera intoxiqué. Si l'appareil digestif ne travaille pas normalement, il risque de produire une trop grande quantité de bactéries nocives qui favorisent la prolifération des toxines. Un foie paresseux, des pores obstrués et des poumons congestionnés accroissent la toxicité.

Les signes d'un excédent de toxines

Une peau sèche, un teint brouillé, une peau boutonneuse, des maux de tête, des mycoses, une énergie défaillante, des articulations douloureuses, des allergies, des gaz, des ballonnements, une constipation ou la sensation de n'être « pas dans son assiette » indiquent que l'organisme, manifestement surchargé en toxines, apprécierait sans conteste un bon nettoyage. Nombre de ces symptômes sont liés à une simple intolérance alimentaire : au fil du temps, l'organisme ne parvient plus à digérer correctement certains aliments. Le désir insatiable d'un aliment ou des maux de tête survenant à la suite de la suppression d'un ingrédient de votre alimentation signifient peut-être que vous ne tolérez pas tel ou tel aliment. Les coupables sont souvent le blé, les produits laitiers, les agrumes, la sauce de soja, le café, le thé et autres boissons caféinées, ainsi que les arachides.

LES RADICAUX LIBRES

Les radicaux libres sont des molécules fabriquées lors des processus de combustion, dont la friture et le fumage des aliments. Également produits par l'organisme, ce sont alors des dérivés naturels du métabolisme. En petite quantité, ils luttent contre les bactéries et les virus. En grande quantité, ils endommagent les cellules, accélérant le processus de vieillissement et contribuant à l'apparition de maladies ainsi qu'à l'obstruction des artères par un excès de cholestérol. Les radicaux libres sont en perpétuel renouvellement. Les antioxydants de certains aliments peuvent les neutraliser. Les nutriments antioxydants sont les vitamines A, C et E et les minéraux comme le sélénium, le zinc, le manganèse et le cuivre. Les bioflavonoïdes – des composés chimiques présents dans les agrumes – se révèlent aussi très efficaces pour débarrasser l'organisme de ces radicaux libres.

QU'EST-CE QUE LA DÉTOXICATION ?

Le mot « détoxiquer » est simplement un synonyme de nettoyer ou purifier. Un programme « détox » a pour objectif d'accroître l'efficacité de l'appareil digestif et de stimuler les organes chargés du nettoyage de l'organisme. Il sert aussi à renforcer votre capital santé afin de vous rendre moins vulnérable aux infections. Pratiqués à bon escient et sans excès, les régimes détoxiquants jouent un rôle précieux dans la préservation de la santé.

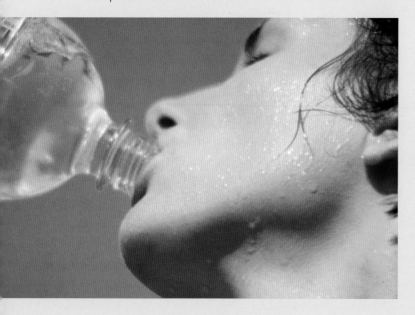

Comment se détoxiquer ?

La détoxication est un terme subjectif. Tout ce qui aide à éliminer a une fonction détoxiquante. Le seul fait de boire 2,5 l d'eau par jour facilite l'évacuation des toxines. Manger plus de fruits et de légumes frais (aliments purifiants et à forte teneur en eau), et moins de viande et de produits laitiers diminue la congestion et favorise l'élimination. Il importe cependant de ne pas adopter un comportement extrême – le jeûne, les lavements fréquents, l'usage abusif de diurétiques et une pratique sportive excessive provoquent des carences en nutriments essentiels.

Dans ce livre, la détoxication passe par une diminution de la consommation de toxines et la facilitation de leur élimination par le biais d'un régime alimentaire et de thérapies corporelles telles que la balnéothérapie et des brossages cutanés. Pour diminuer la charge en toxines, il faut également s'efforcer de supprimer les substances chimiques, les aliments raffinés, le sucre, la caféine, l'alcool, le tabac et de nombreux médicaments.

Le meilleur moyen de renforcer ses défenses naturelles et de combattre l'assaut des toxines est de surveiller son alimentation. Certains aliments, riches en antioxydants et en substances chimiques végétales, permettent à l'organisme d'éliminer les déchets et les éléments polluants.

Contre-indications

Les femmes enceintes ou qui allaitent, les enfants et adolescents âgés de moins de 18 ans, les malades ou les convalescents ainsi que les personnes âgées de plus de 65 ans ne doivent pas suivre de cure de détoxication. Si vous êtes sous traitement médical, consultez un médecin au préalable, car un tel programme risque de ne pas être la bonne réponse à vos besoins.

LES MÉCANISMES DE DÉTOXICATION

Notre organisme dispose de mécanismes pour neutraliser les toxines, les transformer ou les éliminer. Le foie, principal organe de détoxication, transforme les toxines en agents inoffensifs, prêts à être évacués. Les reins filtrent le sang et éliminent les déchets par l'urine. Les intestins envoient les toxines potentielles et les matériaux inassimilables dans le côlon où ils sont excrétés. Les poumons expirent les déchets gazeux – le gaz carbonique, par exemple – produits dans les cellules, ainsi que certains polluants contenus dans l'air. La peau élimine les toxines sous forme de sueur, de sébum et de cellules cutanées mortes. Le système lymphatique transporte jusqu'aux nodosités lymphatiques les déchets trop gros pour passer dans le sang, afin qu'ils soient transformés ; ils sont ensuite renvoyés au foie par le sang pour être filtrés.

Rechutes temporaires

Durant une période de détoxication, votre santé doit s'améliorer mais vous risquez cependant de subir des rechutes temporaires. Considérez ces affections mineures comme les rhumes, les épisodes de fièvre et les boutons sous un angle positif car ils indiquent que l'organisme se débarrasse d'un trop-plein de toxines. Ne soyez pas surpris si, au début d'un programme de détoxication, votre teint devient terne ou votre peau boutonneuse, tout rentrera dans l'ordre.

LES BIENFAITS D'UNE DÉTOXICATION

La détoxication vous donnera bonne mine, régulera votre sommeil et stimulera votre bien-être. Votre vitalité et votre capital santé seront accrus. Peut-être même perdrez-vous du poids si vous en avez besoin.

L'effet « bonne mine »

L'un des bienfaits les plus patents d'un programme détox est de donner bonne mine. La combinaison d'un régime alimentaire et de thérapies corporelles a pour effet d'affiner la silhouette et de tonifier les muscles, mais également de transformer la peau. Attendez-vous à avoir une peau plus douce, mieux hydratée, un teint plus clair, des cheveux et des ongles plus beaux. De même, vos yeux seront moins bouffis et plus brillants. Vos dents, qui ne subiront plus les tanins décolorants du thé, du café et du vin, deviendront également plus blanches.

Une meilleure santé

La détoxication renforce l'efficacité du système immunitaire en augmentant la quantité d'antioxydants, des agents-clés pour combattre l'infection et la maladie. Ainsi, vous serez moins la proie de rhumes et d'affections mineures. Si vous avez souffert d'une intolérance alimentaire sans le savoir, une fois l'élément perturbateur exclu de votre alimentation, vous verrez disparaître les troubles allergiques tels le rhume des foins et l'eczéma, ainsi que les crampes d'estomac, la diarrhée et les maux de tête.

Un sommeil réparateur

La détoxication aide à améliorer la qualité du sommeil car elle permet d'éliminer les nombreuses substances nocives qui maintiennent le corps en état de veille. Certains d'entre nous se servent de l'alcool comme d'un sédatif alors qu'en réalité, c'est un excitant au même titre que la caféine, la théine et le tabac. L'exercice physique pratiqué à un rythme régulier favorise le sommeil, mais il est conseillé toutefois d'éviter les activités trop intensives juste avant l'heure du coucher. Les exercices de relaxation exposés dans cet ouvrage se révèlent également très utiles pour passer une nuit tranquille et reposante.

Bonne humeur et harmonie intérieure

En débarrassant votre esprit de ses pensées négatives, vous améliorerez votre état physique et mental. Des recherches ont prouvé que l'optimisme et le bonheur favorisent le bien-être physique et renforcent la capacité de l'organisme à « s'autoguérir ». Une alimentation saine stabilise le taux de sucre dans le sang et limite les sautes d'humeur ; vous vous sentirez plus détendu et plus apte à gérer le stress. Les techniques de méditation et de visualisation permettront également à votre esprit de se détoxiquer.

Perte de poids

La détoxication facilite également le processus d'amaigrissement – une personne en surpoids parce qu'elle se nourrit régulièrement d'aliments gras, sucrés et dépourvus de nutriments pourra effectivement perdre du poids si elle suit ce programme de détoxication. Toutefois, la perte de poids n'est pas l'objectif principal d'une cure détox. Ne considérez surtout pas celle-ci comme un régime amaigrissant supplémentaire, et surtout, ne cédez pas à la tentation de vous peser en cours de programme détox – en constatant éventuellement que vous n'avez pas maigri, vous pourriez perdre la motivation nécessaire pour continuer le programme sérieusement.

LES OBJECTIFS D'UNE DÉTOXICATION

Un programme détox a pour objectif de réduire l'activité de l'appareil digestif en lui permettant d'agir avec plus d'efficacité, et de stimuler les organes qui assurent le nettoyage de l'organisme. Une détoxication réussie dépend en partie de ce que vous mangez ou buvez, mais elle peut être complétée par des thérapies corporelles visant à accélérer l'élimination des toxines ainsi que par des thérapies mentales relaxantes. L'intention est d'inciter en douceur le corps et l'esprit à se débarrasser des déchets et à les remplacer par des aliments et des pensées revitalisants.

Le programme de détoxication alimentaire épure l'appareil digestif et améliore l'immunité. Il diminue en outre l'exposition aux toxines et accroît l'activité du foie et des reins, principaux organes de purification. Il vous permettra d'effectuer un « nettoyage de printemps » complet. Toutefois, pour en tirer le meilleur profit, il convient de s'occuper en simultané du corps et de l'esprit. En effet, le bien-être est le fruit d'un savant équilibre entre santé émotionnelle, mentale et physique. Si cet équilibre est menacé, votre harmonie corporelle et votre santé en pâtiront. Le programme de détoxication corporelle et spirituelle propose des techniques simples mais efficaces pour prendre soin de votre corps et penser de manière positive de façon à ce que vous vous sentiez plus à l'aise et en bonne santé.

évaluez votre charge en toxines

Répondez aux questions suivantes. Une réponse positive vaut 1 point, une réponse négative vaut 0 point. Si vous avez plus de 5 points, vous pouvez vous accoutumer en douceur en suivant le programme des pages 22 et 23 ; vous éviterez ainsi les maux de tête et les effets annexes d'une détoxication trop rapide. Il n'y a pas de bon ou de mauvais score mais vous devez mémoriser le vôtre afin de mesurer les progrès effectués durant la période de détoxication.

1 Vous sentez-vous fatigué au réveil, même si vous avez assez dormi ?

2 Buvez-vous plus de 3 tasses par jour de café, de thé ou de boisson caféinée ?

3 Êtes-vous sujet aux éruptions cutanées, aux boutons autour de la bouche ou à l'eczéma ?

4 Souffrez-vous de ballonnements après les repas ?

5 Buvez-vous régulièrement de l'alcool ?

6 Fumez-vous ou vivez-vous avec des fumeurs ?

7 Habitez-vous ou travaillez-vous en ville ?

8 Mangez-vous rarement des fruits ou des légumes frais ?

9 Mangez-vous de la viande rouge plus de deux fois par semaine ?

10 Êtes-vous adepte du fast food ?

11 Êtes-vous souvent sujet aux rhumes, au rhume des foins ou autres allergies ?

12 Avez-vous des sautes d'humeur ?

13 Avez-vous des envies soudaines d'aliments sucrés ?

14 Sautez-vous des repas, notamment le petit-déjeuner ?

15 Prenez-vous facilement du poids ?

16 Avez-vous des difficultés à vous concentrer ?

17 Souffrez-vous de problèmes intestinaux (constipation, diarrhées, etc.) ?

18 Avez-vous de temps à autre mal aux articulations ou aux muscles ?

19 Vous sentez-vous la plupart du temps fatigué ou léthargique ?

20 Souffrez-vous de mycoses, comme le muguet, le pied d'athlète ou la teigne ?

LES PRÉPARATIFS

Pour que votre programme détox se déroule le mieux possible, il est indispensable de bien vous préparer. Commencez par rassembler les ustensiles nécessaires à la confection des repas et les accessoires de salle de bains spécialement adaptés à la détoxication corporelle.

Pour la cuisine

• Des récipients hermétiques et des bocaux pour conserver les aliments secs.

• Un panier à étuver en métal ou en bambou – à poser sur une casserole d'eau pour cuire à la vapeur ; les aliments conservent ainsi leurs qualités nutritives.

• Un robot culinaire pour réduire les temps de hachage.

• Une essoreuse à salade.

• Une centrifugeuse – un article de luxe, mais toutefois intéressant pour inciter à consommer plus de jus de fruits et de légumes frais.

Pour la salle de bain

• Une brosse pour la peau en soies naturelles ; elle doit être ferme sans irriter la peau.

• Un gant de friction en lin et coton.

• Un gommage exfoliant (recette page 75) ou du sel.

• Votre huile essentielle préférée, ajoutée à une huile support adaptée (page 83).

détoxiquer votre cuisine

Une des clés pour réussir votre détoxication est de débarrasser votre cuisine des aliments trop gras ou trop sucrés que vous consommez volontiers en période de crise émotionnelle. Si vous êtes stressé, il n'y aura plus rien dans vos placards qui soit susceptible de vous tenter. Débarrassez-vous également de tous les aliments raffinés. Approvisionnez votre cuisine en aliments sains et nutritifs, en vous inspirant de la liste fournie pages 32 et 33. Si possible, choisissez des fruits et des légumes cultivés dans votre région – ils renferment plus de nutriments et sont moins nuisibles pour l'environnement car ils n'ont pas voyagé pour parvenir jusqu'à vous.

Une fois que vous avez rassemblé les ingrédients adéquats, faites preuve d'imagination et de créativité. Essayez de nouvelles recettes et de nouveaux aliments ; vous serez étonné par les délicieux repas que vous réussirez à concocter.

MANGER BIO ?

Le « bio » n'est pas indispensable à un programme détox – le seul fait d'augmenter votre consommation de fruits et de légumes modifiera votre tonus et votre apparence. En outre, même si d'inquiétantes révélations nous parviennent sur certaines méthodes de production, les aliments non biologiques vendus dans les magasins sont souvent transportés et stockés dans de bonnes conditions et sont donc plus sains que par le passé.

Cependant, les produits biologiques, obtenus sans pesticides et autres substances chimiques, offrent une solution attrayante. Pour nombre d'entre nous, cela justifie amplement la différence de prix.

La plupart des magasins proposent des produits biologiques. Vous pouvez également vous faire livrer à domicile par un grossiste. Il est cependant conseillé d'acheter souvent et en petite quantité car les produits biologiques se conservent moins longtemps que les produits traités.

LE COMPTE À REBOURS

Si vous souffrez de carences nutritionnelles, si vous êtes stressé ou fatigué, procédez à des changements préliminaires avant de débuter le programme. L'objectif est d'améliorer l'efficacité de votre appareil digestif et de renforcer vos défenses immunitaires. Si vous suivez les conseils suivants quinze jours, vous aborderez plus aisément la phase de détoxication et diminuerez ses effets secondaires tels que les maux de tête et la fatigue.

Passez-vous d'alcool

Réduisez votre consommation d'alcool afin qu'elle soit minime ou nulle au bout des deux semaines. Votre foie, principal organe de détoxication, sera moins sollicité.

Bougez

Faites une pause « promenade » à l'heure du déjeuner ; augmentez peu à peu la durée de cette marche et son allure.

Tenez un journal alimentaire

Notez tout ce que vous mangez et buvez et à quelle heure, les quantités approximatives et les détails intéressants – par exemple, si les produits sont biologiques ou non. Cela vous habituera à manger plus sainement.

Diminuez la caféine

Réduisez votre consommation de thé, de café et de sodas. Remplacez progressivement ces boissons par de l'eau, des tisanes, des jus de fruits et de légumes. Si vous faites habituellement grande consommation de boissons riches en caféine et cessez d'en boire du jour au lendemain, vous risquez toutefois de ressentir des effets secondaires : maux de tête, endormissement et irritabilité.

Buvez davantage d'eau

Augmentez votre consommation de liquides ; buvez au minimum huit verres d'eau par jour.

Mangez davantage de fruits et de légumes

Augmentez votre consommation de fruits et légumes dans votre alimentation – au moins trois portions de chaque par jour au bout des deux semaines. Les pommes, les poires, les ananas et les fruits rouges sont excellents pour accélérer le transit. Évitez momentanément les agrumes car ce sont de puissants nettoyants. Les patates douces, les courges et les légumes racine sont très appréciés par l'appareil digestif.

Diminuez les hydrates de carbone

Réduisez votre consommation de pain et de pâtes à une portion par jour (une tranche de pain ou une cuillerée à soupe de pâtes cuites).

Petit-déjeuner

Choisissez entre :
- Un œuf poché avec une tranche de pain complet
- Un yaourt fermenté au lait de brebis, des graines moulues et un fruit riche en enzymes comme l'ananas, la papaye, les fruits rouges, la pomme ou la poire
- Du muesli fait maison avec du yaourt fermenté ou du jus de pomme

En-cas

- Des galettes de riz ou pains scandinaves avec une demi-banane ou de l'houmous
- Une poignée de graines
- Des fruits frais
- Un demi-avocat

Déjeuner et dîner

Choisissez parmi ces propositions et accompagnez votre plat d'une salade verte et de vinaigrette (page 68) :
- Du poisson gras ou de la volaille biologique
- Une option végétarienne à base de légumineuses, de tofu et de céréales comme le riz, le millet ou le quinoa, avec quelques fruits à écale ou graines
- Des céréales avec des légumes sautés ou cuits à la vapeur. Choisissez des légumes de couleur vive (tomate, poivron, brocoli et carotte), tous riches en antioxydants et en nutriments végétaux
- Des pommes de terre au four (trois fois par semaine maximum)

Au dessert, choisissez des fruits rouges riches en enzymes, des papayes ou de l'ananas avec du yaourt fermenté ; en hiver, essayez les pommes ou les poires au four.

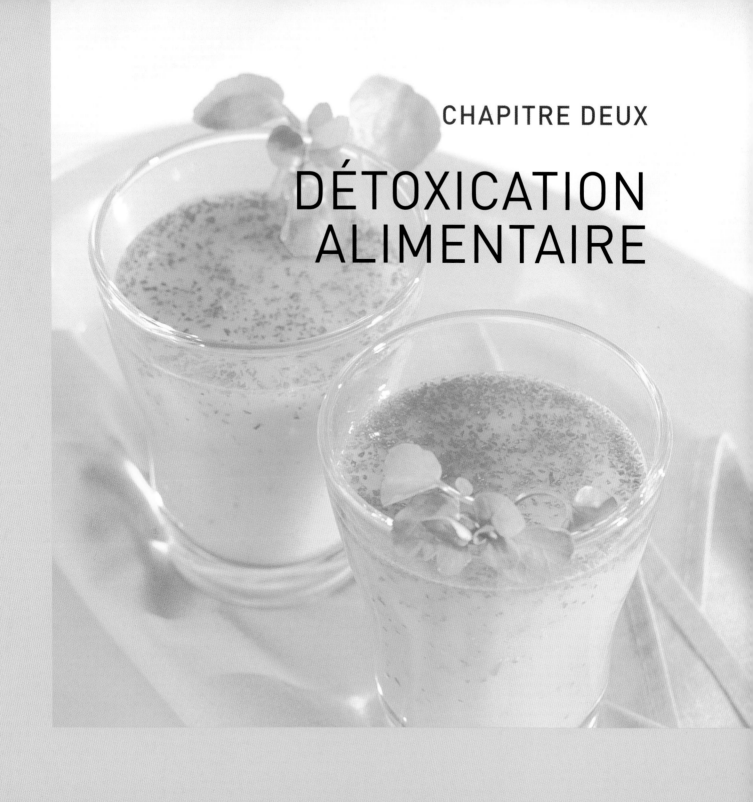

CHAPITRE DEUX

DÉTOXICATION ALIMENTAIRE

CE QU'IL FAUT ÉVITER

aliments proscrits

Les aliments à éviter sont ceux dont on sait généralement qu'il vaut mieux en limiter, voire en supprimer, l'absorption. Ne soyez pas surpris que l'alcool, la caféine, la viande rouge et les aliments « prêts-à-consommer » soient exclus.

Le blé

Le son de blé risque d'irriter le côlon. La protéine du blé (gluten), difficile à digérer, peut être source de ballonnements, de constipation et/ou de diarrhées. Le gluten est également présent dans l'avoine, l'orge et le seigle, mais en quantité moindre. De nombreuses personnes ne supportent pas le blé mais peuvent consommer sans problème d'autres céréales. Cependant, si vous souffrez de cœlialgie, vous devez éviter tous les aliments contenant du gluten.

Une détoxication réussie dépend en majeure partie de ce que vous mangez ou buvez. Ce chapitre vous propose les aliments à consommer ou à éviter pendant votre cure détox, indique quels compléments nutritionnels prendre pour mieux la supporter et comment préparer votre nourriture de façon à ce qu'elle reste la plus nutritive possible.

Produits dérivés du lait de vache

Le lait augmente la production de mucus qui ralentit la détoxication. En outre, il existe un grand nombre de personnes qui manquent de lactase, une enzyme nécessaire à la digestion du lactose (le principal sucre contenu dans le lait), et qui ont, par conséquent, de la difficulté à digérer les produits laitiers.

Thé, café, chocolat et boissons caféinées

La caféine est un diurétique qui provoque une déshy-dratation. En tant qu'excitant, elle stresse l'organisme et le prive de nutriments essentiels. Elle l'empêche aussi d'absorber les vitamines et les minéraux.

Alcool

Il est impératif de ne pas consommer d'alcool pendant votre cure détox. Non seulement l'alcool contient du sucre, mais il est également assimilé sous forme de toxines par l'organisme. En outre, la production de radicaux libres nocifs augmente lors de cette transformation. L'alcool endommage le foie, les muscles et le cerveau, et il prive l'organisme de ses vitamines et minéraux essentiels.

ALIMENTS DE SUBSTITUTION

Ne soyez pas effrayé de devoir abandonner certains aliments car il existe de nombreux produits de substitution aussi délicieux que sains.

Produits à base de blé
Consommez du pain sans gluten, des pâtes au maïs, au millet, au riz et au quinoa, des nouilles de riz ou de sarrasin, du riz complet, du quinoa, du millet, du muesli aux flocons d'avoine, ou des flocons de millet ou d'avoine ainsi que des chips de maïs.

Produits laitiers
Utilisez des produits au lait d'amande, d'avoine, de chèvre, de brebis ou de soja. Remplacez le beurre par l'houmous, le beurre de noix de cajou ou d'amande, ou la pâte de graines de sésame.

Café et thé
Buvez des tisanes, de l'eau, du thé vert, de la chicorée (vérifiez qu'elle ne renferme pas de lactose), du thé Rooibos et des jus de fruits frais.

Sel et sucre
Remplacez le sel par un substitut aux algues et aux aromates. Utilisez des fines herbes et des épices pour donner du goût aux aliments. Remplacez le sucre par du miel ou du sirop d'érable.

Plats prêts-à-consommer, aliments gras et/ou frits et produits sucrés

Ceux-ci comprennent les plats préparés, les biscuits, les gâteaux et les pâtes à tartiner sucrées. Les boissons gazeuses contiennent également du sucre. Choisissez plutôt des fruits frais ou séchés et des produits complets. Buvez de l'eau ou des jus de fruits.

Viande

La viande donne une surcharge de travail à votre appareil digestif. La viande rouge contient beaucoup de graisse saturée, nocive. Consommez plutôt de petites quantités de protéines biologiques de bonne qualité pour donner à votre organisme les acides aminés dont il a besoin. Les œufs, les poissons gras (pêchés dans des eaux non polluées) et le soja sont d'excellents choix.

Sel et sucre

L'organisme a besoin de beaucoup de liquide pour métaboliser les aliments riches en sucre raffiné. Si vous en consommez trop, votre corps retiendra plus d'eau. Le sucre modifie le taux de glucose dans le sang et le sel empêche l'organisme d'évacuer les liquides.

Choisir le bon moment pour se détoxiquer

Une fois que vous savez quels aliments supprimer, il suffit de choisir le bon moment pour effectuer votre cure détox. L'on pense souvent au début d'année. Toutefois, l'hiver, saison froide par excellence, est une période d'hibernation et de stockage d'énergie, durant laquelle il est difficile de se priver d'hydrates de carbone ou d'aliments de compensation, donc de suivre un régime détoxiquant. Le printemps est la saison la plus appropriée : effectuez le grand nettoyage de votre corps comme vous le faites pour votre maison. De plus, le choix de fruits et de légumes est plus varié à cette saison. Dans de nombreuses cultures, des modifications alimentaires interviennent traditionnellement au printemps. Évitez toutefois de faire coïncider votre cure avec les fêtes de Pâques, vous auriez du mal à résister au chocolat. L'été est aussi une saison propice car la chaleur incite naturellement à manger léger.

Si vous n'avez jamais eu l'occasion de vous détoxiquer, commencez plutôt par le week-end de détoxication. Choisissez une période où vous avez prévu peu de sorties car il est parfois difficile de devoir refuser un verre d'alcool ou des amuse-gueule.

Faites-vous aider

Une fois que vous avez fixé la date de votre cure, demandez à votre famille et à vos amis de vous soutenir en évitant de vous proposer des boissons ou des aliments déconseillés. Vous verrez qu'ils s'intéresseront à votre projet, peut-être même au point de vous accompagner.

Incitez votre famille à bien manger

Vous aurez plus de facilité si votre compagnon/compagne ou votre conjoint(e) décide de faire cette cure avec vous. En revanche, ne faites pas suivre ce régime à vos enfants s'ils ont moins de 18 ans, mais aidez-les à manger sainement en augmentant la quantité de fruits et de légumes dans leur alimentation et en introduisant des aliments comme le riz complet et autres céréales, qu'ils n'ont peut-être jamais eu l'occasion de goûter. Il est toujours bénéfique de limiter la consommation de produits transformés.

LE CHOIX DES ALIMENTS

Pour réussir une cure détox, il faut maintenir l'organisme dans un état alcalin. L'équilibre acidité-alcalinité se fait en fonction des aliments consommés. Les céréales et les protéines, indispensables à notre santé, produisent des résidus alcalins lors de leur transformation. Si vous équilibrez votre consommation de céréales et de protéines par de grandes quantités de fruits et légumes (qui produisent des résidus alcalins), vous aiderez votre organisme à conserver son état alcalin. Préférez des aliments « bios » et mangez des fruits et des légumes crus quand vous le pouvez, afin d'engranger le maximum de nutriments.

L'importance des liquides

Il est essentiel de boire beaucoup de liquide (au moins huit verres par jour) pour prévenir la rétention d'eau et maintenir en bon état de marche le système de traitement des déchets de l'organisme – le foie, les reins, les poumons, les systèmes digestif et lymphatique, et la peau. L'eau évacue les matières toxiques, réduit les ballonnements et éclaircit le teint. Elle est donc la garante d'une détoxication réussie.

Buvez tout au long de la journée. Diminuez et espacez les prises à mesure qu'approche l'heure du coucher. Les boissons prises au cours des repas ont pour effet de diluer les enzymes digestives. Si possible, évitez de boire juste avant ou après les repas. Les tisanes peuvent très bien remplacer l'eau, le thé vert et le thé Rooibos sont riches en antioxydants. Les fruits pressés et les jus de légumes frais sont chargés de nutriments, d'antioxydants et d'enzymes. Ils permettent à votre organisme de rester alcalin à condition de les boire immédiatement car les nutriments se détruisent dès qu'ils sont exposés à l'air ambiant.

aliments détoxiquants

Il existe une quantité étonnante de fruits et légumes qui contribuent au processus de détoxication. Voici une liste des vingt premiers à consommer sans modération.

Ail •• puissant antioxydant, excellent pour éliminer les micro-organismes toxiques.

Algues marines •• leur taux d'iode et de sélénium en fait un antioxydant puissant ; les algues contribuent à alcaliniser le sang et fortifient l'appareil digestif.

Artichaut •• purifie et protège le foie ; a un effet diurétique sur les reins.

Asperge •• aliment détoxiquant par excellence, de par son effet diurétique ; contribue au maintien des bactéries curatives dans les intestins.

Brocoli •• avec d'autres légumes crucifères comme les choux et les choux de Bruxelles, ils augmentent le taux de glutathione, un antioxydant majeur qui aide le foie à évacuer les toxines.

Canneberge •• riche en antioxydants ; détruit les bactéries nocives présentes dans les reins, la vessie et les voies urinaires.

Carotte •• riche en bétacarotène, puissant antioxydant qui neutralise les radicaux libres nocifs ; antibactérienne et antimycosique, elle stimule le système immunitaire.

Citron •• accélère la production d'enzymes, activité essentielle dans le processus de détoxication du foie.

Cresson •• purifie le sang et expulse les déchets.

Fenouil •• possède un grand pouvoir diurétique ; aide l'organisme à éliminer les graisses.

Gingembre •• soulage les ballonnements, la nausée et la diarrhée ; contribue à la stimulation des enzymes digestives, facilite la digestion.

Huile d'olive •• antioxydant qui joue un rôle déterminant ; empêche le cholestérol d'être transformé en un antiradical libre nocif.

Oignon •• riche en quercétine, un antioxydant qui protège des effet nocifs des radicaux libres ; l'oignon accroît l'activité de la flore intestinale saine, c'est également un antiviral.

Persil •• diurétique, aide les reins à éliminer les toxines ; contient des phytonutriments qui fortifient le foie ; riche en antioxydants.

Pomme •• aide à excréter les métaux lourds et le cholestérol ; nettoie le foie et les reins.

Quinoa •• céréale purifiante qui se digère aisément ; riche en protéines, en vitamines et en minéraux.

Riz •• le riz complet en particulier nettoie les intestins et prévient la constipation ; il est hypoallergénique et contribue à la stabilisation du taux de sucre sanguin.

Salade •• antioxydant et purifiant de l'appareil digestif ; mélangez les variétés pour bénéficier de leurs différents nutriments.

Tomate •• riche en lycopène, un antioxydant qui préviendrait de nombreuses maladies.

Yaourt •• le yaourt fermenté contient des probiotiques qui préviennent l'inflammation et les mycoses intestinales ; élimine les bactéries nocives qui attaquent la paroi intestinale.

liste de courses

Voici une liste qui recense tous les aliments et boissons autorisés lors d'une cure détox. Il n'est pas obligatoire de manger de tout mais essayez de privilégier la diversité. Achetez des produits de saison qui seront plus économiques.

Fruits
Abricots
Ananas
Avocats
Bananes
Canneberges
Cassis
Cerises
Citrons
Citrons verts
Dattes
Figues
Fraises
Framboises
Fruits
  de la Passion
Goyaves
Groseilles
Groseilles
  à maquereau
Kiwis
Litchis
Mangues
Melons
Mûres
Nectarines
Olives
Pamplemousses
Papayes
Pastèques
Pêches
Poires
Pommes
Pruneaux
Prunes
Raisin
Raisins secs
Raisins
  de Smyrne
Reines-claudes
Rhubarbe

Légumes
Ail
Artichauts
Asperges
Aubergines
Betteraves
Brocoli
Céleri
Céleri-rave
Chou
Chou chinois
Chou-fleur
Choux
  de Bruxelles
Citrouille
Concombres
Courges
Courgettes
Endives
Fenouil
Fèves
Gombos
Haricots blancs
Haricots verts
Ignames
Maïs
Navets
Oignons
Panais
Patates douces
Petits pois
Poireaux
Poivrons
Pommes de terre
Radis
Roquette
Rutabagas
Salade

Céréales
Flocons d'avoine
Millet
Pâtes sans
  gluten
Quinoa
Riz complet
Sarrasin

**Légumineuses
et germes**
Germes
  (de haricots
  mungo,
  d'alfalfa,
  d'azuki,
  de soja, etc.)
Haricots blancs
Haricots rouges
Haricots à œil
  noir
Haricots de Lima
Lentilles
Pois chiches

**Fruits à écale
  et graines**
Amande
Aveline
Châtaigne
Citrouille
Lin (graines)
Noisette
Noix
Noix de cajou
Noix de
  macadamia
Noix de pecan
Noix du Brésil
Pignons
Sésame (graines)
Tournesol
  (graines)

Herbes et épices
Aneth
Basilic
Cardamome
Cerfeuil
Ciboulette
Cumin
Curcuma
Estragon
Fenouil
Gingembre
Marjolaine
Menthe
Origan
Paprika
Persil
Piment
Poivre
Poivre
  de Cayenne
Romarin
Thym

**Produits laitiers
  d'origine
  non bovine**
Fromage
  de brebis
Fromage
  de chèvre
Lait d'amande
Lait d'avoine
Lait de brebis
Lait de chèvre
Lait de riz
Lait de soja
Yaourt au soja
Yaourt de chèvre
Yaourt de brebis

Poissons
Anchois
Cabillaud
Crabe
Églefin
Flétan
Hareng
Maquereau
Pilchard
Plie
Raie
Sardine
Saumon
Thon
Truite

**Huiles
  et vinaigres**
Huile citronnée
Huile de maïs
Huile de noisette
Huile de noix
Huile de pépins
  de raisin
Huile de sésame
Huile d'olive
  vierge extra
Vinaigre
  balsamique
Vinaigre de cidre

Divers
Algues marines
Galettes de riz
Moutarde
  en grains
Pain sans gluten
Pains
  scandinaves
Pâte de graines
  de sésame
Substitut
  de viande
  à base
  de protéines
  végétales
Tofu

Boissons
Eau minérale
Jus de fruits
Jus de légumes
Thé vert
Thé Rooibos
Tisane

ALIMENTS À LIMITER

Bananes Pas plus de trois petites bananes par semaine car elles sont riches en sucres rapides et en graisses

Cacahuètes À éviter car elles sont très riches en graisses et renferment des sucres rapides

Champignons À éviter complètement si vous souffrez de mycoses

Épinards Très acides

Oranges Très acides – ne pas en consommer avant la troisième semaine du programme

Pommes de terre Pas plus de trois fois par semaine à cause de leurs sucres rapides (les patates douces sont autorisées)

LES COMPLÉMENTS NUTRITIONNELS

En règle générale, l'on prend des compléments nutritionnels en vue de pallier les éventuelles carences en vitamines et en minéraux dues à l'alimentation moderne. Lorsque vous effectuez une cure détox, vous pouvez prendre plusieurs compléments pour renforcer le processus de digestion et favoriser l'absorption des nutriments. Il n'est pas nécessaire de prendre un complément antioxydant spécifique – si vous consommez un assortiment de fruits et de légumes variés, vous répondrez aisément aux besoins de votre organisme. Un excès de vitamine C risque de provoquer des diarrhées et des maux d'estomac, tandis qu'une quantité excessive de vitamine A peut se révéler toxique. Dans la plupart des cas, un complément nutritionnel multivitamines/multiminéraux convient. Toutefois, avant de prendre des compléments alimentaires, il est préférable de demander conseil à une personne qualifiée.

Algues bleu-vert (cyanophycées)

Elles renferment plus de cent nutriments assimilables, dont des antioxydants, des vitamines, des minéraux, des enzymes, des acides gras essentiels, des acides aminés, des protéines et autres substances protectrices. Certaines de ces algues se trouvent sous forme de compléments nutritionnels – l'aphanizomenon, la chlorelle et la spiruline, par exemple. Les algues adhèrent aux toxines dans l'appareil digestif et facilitent leur élimination. Dosage : 500 à 1 500 mg deux fois par jour, au cours des repas.

Coenzyme Q10

Les enzymes utilisent cette substance pour favoriser la production d'énergie. La coenzyme Q10 est particulièrement active dans le foie où elle favorise la décomposition des toxines. Ce puissant antioxydant contribue également à la santé cardiaque. Dosage : 10 à 100 mg par jour, au cours des repas.

Pissenlit

Celui-ci accroît la décomposition des graisses alimentaires en stimulant l'évacuation de la bile. C'est un diurétique extrêmement efficace car riche en potassium. Dosage : 500 mg deux fois par jour.

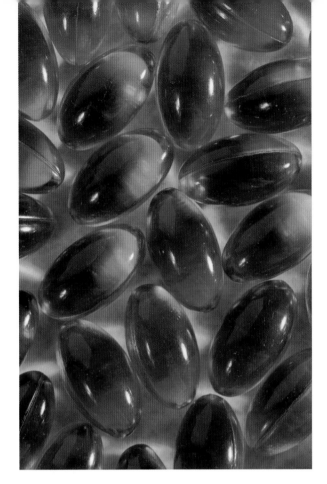

Varech

Ce complément dérivé des algues marines renferme des vitamines, des acides aminés et des minéraux. Le varech est particulièrement riche en calcium, magnésium, potassium, fer et iode. L'iode améliore la production d'hormones thyroïdiennes qui stimulent le métabolisme et favorisent ainsi la perte de poids. Elle adhère aux métaux lourds afin de les évacuer des intestins. Dosage : selon la posologie indiquée par le fabricant. Notez que certaines personnes étant allergiques à l'iode, la prise de compléments nutritionnels à base de varech risque de provoquer des réactions allergiques.

Chardon-Marie

Le composant actif de cette herbe antioxydante est la sylimarine, une substance qui protège le foie. Elle prévient les lésions hépatiques provoquées par les toxines environnementales, les radicaux libres, les médicaments, l'alcool et les substances chimiques. Elle contribue à régénérer le foie en favorisant le remplacement des cellules hépatiques abîmées par des cellules saines. Elle augmente aussi le taux de glutathione qui facilite l'évacuation de l'alcool, des métaux et des pesticides de l'organisme en s'agglutinant aux composants toxiques pour mieux les neutraliser afin qu'ils puissent être excrétés en toute sécurité. Dosage : 120 à 160 mg trois fois par jour.

Bogues de psyllium

Elles ont une légère action laxative qui permet de nettoyer les intestins. Elles contiennent une fibre insoluble qui ramollit les matières vieilles dans les intestins et augmente la masse des selles, et des fibres solubles qui absorbent les toxines de l'intestin. Dosage : 1 000 à 3 000 mg une à trois fois par jour avec au moins 50 cl d'eau. À prendre en dehors des repas.

LA PRÉPARATION DES ALIMENTS

Achetez peu et souvent afin d'avoir toujours à portée de main des légumes et des fruits frais, que vous stockerez dans le noir. Les fruits et légumes hachés ou râpés prêts à l'emploi sont pratiques, mais sachez qu'ils perdent leurs nutriments dès qu'ils sont exposés à la lumière et à l'air. Il convient donc de les ouvrir juste avant de les manger. Conservez la peau des fruits et des légumes car nombre de nutriments essentiels se trouvent juste dessous. Toutefois, si vos légumes et fruits ne sont pas issus de la culture biologique, épluchez-les ou retirez les feuilles externes des salades pour réduire votre exposition aux résidus de pesticides.

la cuisson

Efforcez-vous de cuire le moins possible les aliments. La cuisson altère leurs molécules et détruit quantité de nutriments et d'enzymes bénéfiques ; plus la cuisson est longue, plus les aliments perdent leurs nutriments.

La cuisson à la vapeur est la plus efficace pour les légumes. Les soupes et les ragoûts peuvent être bouillis car vous consommez le jus de cuisson qui renferme les nutriments. Les aliments sautés cuisent rapidement, aussi ce mode de cuisson est-il excellent pour la conservation des nutriments. Remplacez l'huile par du bouillon ou de l'eau, car la friture dans l'huile à haute température produit des radicaux libres qui détruisent les acides gras essentiels des aliments. Les oignons et l'ail, qui constituent la base de nombreuses recettes de plats salés, sont savoureux revenus à la poêle dans du bouillon de légumes ou de l'eau à la place du beurre ou de l'huile.

Utilisez un vaporisateur à huile et eau

Préparez-vous un vaporisateur à huile et eau qui se révé-
lera pratique pour graisser un plat ou des légumes avant
de les cuire à la vapeur. Achetez un vaporisateur en plastique et remplissez-le de sept volumes d'eau pour un
volume d'huile d'olive. Agitez-le toujours avant usage.
L'eau s'évaporera pendant la cuisson, laissant un tout petit
peu d'huile.

Poivre

Sauf indication contraire, utilisez toujours du poivre noir
du moulin.

Fruits à écale et graines

Consommez-les non salés. Faites-les griller quelques
minutes dans un four chaud ou passez-les au gril pour
que leurs saveurs se développent. Les graines à demi
germées ont une plus grande valeur nutritive.

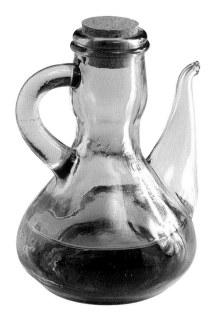

Huile

Consommez des huiles pressées à froid (la pression à
froid préserve les acides gras essentiels). Utilisez de
l'huile d'olive vierge extra.

GRAINES GERMÉES

Les graines germées ont une forte teneur en
vitamines et en minéraux. Vous pouvez par exemple
les ajouter aux salades. Les graines suivantes sont
faciles à faire germer à la maison : azukis, alfalfas,
pois chiches, haricots mungo, moutarde et cresson.
Parsemez deux cuillerées à soupe de graines sur
un plateau ou une assiette, retirez celles qui sont
fendues et couvrez d'eau tiède. Couvrez et laissez
tremper 12 heures. Rincez et égouttez. Les graines
doivent être humides mais non détrempées.
Égoutter et rincez à l'eau tiède deux ou trois fois
par jour jusqu'à ce qu'elles germent. Vous pouvez
également les acheter prêtes à l'emploi. Mettez-les
au réfrigérateur et rincez-les avant usage.
Consommez-les dans les trois jours qui suivent
l'achat.

CHAPITRE TROIS

MENUS
ET RECETTES

LE RÉGIME DÉTOX

Le régime détox couvre une période de quatre semaines et propose des menus adaptés à chaque jour, du petit-déjeuner au dîner. Ils sont conçus pour vous faire consommer la ration de nutriments requise et pour renforcer la capacité de votre organisme à éliminer les toxines. Chaque plat important est accompagné de sa recette. Si un ingrédient spécifique ne vous convient pas, ou si vous souhaitez concocter un régime personnalisé, libre à vous de modifier les menus, dès lors que votre ration quotidienne contient les éléments nutritionnels essentiels indiqués sur cette même page et que votre alimentation reste variée. Si vous éliminez une catégorie d'aliments, vous risquez d'être frappé de léthargie. À long terme, votre santé serait en péril.

Selon vos goûts, le choix proposé et le prix, vous pouvez modifier les variétés de céréales, de fruits, de légumes, de fruits à écale et de graines. Le yaourt au soja est recommandé car il contient d'excellents nutriments végétaux mais, si vous préférez, vous pouvez choisir du yaourt au lait de brebis. Comme il ne s'agit pas d'un régime amaigrissant, les quantités ne sont pas indiquées – faites attention aux aliments à forte teneur en graisses comme les fruits à écale et les avocats. En règle générale, vous pouvez manger de la salade, des fruits et des légumes à satiété.

Ration quotidienne d'éléments nutritionnels

- 1 à 2 portions de graisses : graines oléagineuses (page 32), huile d'olive ou poisson gras.
- 2 à 3 portions de protéines : à puiser dans les produits végétariens ou le poisson – œufs, produits au soja, lentilles, haricots, quinoa et poisson gras (évitez la viande, trop riche en graisses saturées).
- 3 portions de fruits frais ou séchés.
- 3 à 4 portions de céréales complètes : riz, millet, avoine, maïs et pâtes sans gluten.
- 5 portions de légumes feuille et légumes racine.
- Au moins 7 à 8 verres de liquide dans la journée, davantage s'il fait chaud ou si vous faites de l'exercice.
(Note : 1 portion équivaut à 1 cuillerée à soupe bombée.)

Le bon moment pour manger

Le fait de manger à un rythme régulier contribue à stabiliser le taux de sucre dans le sang et à prévenir le grignotage. Ne sautez pas le petit-déjeuner même si vous n'avez pas faim car ce premier repas stimule le métabolisme ; vous risqueriez de ressentir fatigue ou difficultés de concentration. Pour donner à votre organisme le temps de digérer et d'absorber la nourriture avant le repas suivant, essayez de prendre le petit-déjeuner avant 9 heures, le déjeuner avant 14 heures et le dîner avant 20 heures.

Ration quotidienne de détoxiquants essentiels

- Au réveil, buvez un verre d'eau additionnée du jus d'un demi-citron pour purifier votre foie et vous nettoyer le palais.
- Consommez une gousse d'ail que vous mélangerez à votre nourriture.
- Mangez une poignée d'abricots secs non soufrés.
- Buvez une tasse d'eau chaude additionnée d'une cuillerée à café de miel.
- Prenez au minimum trois repas par jour.

EN-CAS

Voici quelques idées pour combler un petit creux entre les repas :

- Des bâtonnets de carottes et de céleri ou galettes de riz, à tremper dans un dip (pages 48-49)
- Une poignée de fruits à écale, graines ou raisins secs
- Un morceau de fruit frais
- Une poignée de raisins
- Une portion de yaourt au soja
- Un verre de jus de fruits pressés ou de jus de légumes
- Une poignée d'olives

Ces pages contiennent des suggestions de menus établis pour permettre à votre corps d'éliminer rapidement ses toxines. Vous pouvez manger un fruit à la fin du repas mais évitez les agrumes avant la troisième semaine car leur pouvoir détoxiquant est très puissant.

première semaine

LUNDI

Matin	Muesli de fruits frais (page 47)
Midi	Soupe de courgettes à la tomate (page 51) et pain sans gluten
Soir	Pommes de terre au four, saumon sauvage ou maquereau grillés (remplacez par de l'houmous si vous êtes végétarien, page 49) et mesclun en vinaigrette (page 68)

MARDI

Matin	½ melon et fruits des bois (fraises, framboises et myrtilles)
Midi	Tapenade aux lentilles et aux tomates séchées (page 48) et crudités (page 49)
Soir	Paella de légumes (page 62) et salade de fruits frais (page 67)

MERCREDI

Matin	Œuf poché et toast sans gluten tartiné de miel
Midi	Salade printanière (page 56)
Soir	Nouilles de riz et sauce piquante (page 68)

JEUDI

Matin	Muesli (page 47)
Midi	Salade de pois chiches aux tomates (page 53) et fromage de chèvre
Soir	Aubergines farcies (page 59), salade verte et sauce aux noix (page 68)

VENDREDI

Matin	Yaourt de soja (page 46), fruits des bois et 1 cuillerée à café de graines de tournesol
Midi	Houmous (page 49), galettes de riz et crudités
Soir	Chili de légumes (page 60) et salsa de tomates au maïs (page 69)

SAMEDI

Matin	Jus de carotte à la pomme et au concombre (page 46)
Midi	Soupe de légumes (page 50) et pain sans gluten
Soir	Pilaf de millet (page 63)

DIMANCHE

Matin	Cocktail tropical (page 46) et toast sans gluten tartiné de miel
Midi	Dip aux petits pois (page 49), crudités, galettes de riz et salade de fruits frais (page 67)
Soir	Mesclun et thon en boîte égoutté (remplacez par de l'houmous si vous êtes végétarien, page 49)

deuxième semaine

LUNDI

Matin	Muesli (page 47)
Midi	Soupe de carottes épicée (page 52) et pain sans gluten
Soir	Salade de pois chiches aux tomates (page 53), fromage de chèvre ou tofu fumé, et pommes cuites aux épices (page 67)

MARDI

Matin	Yaourt de soja (page 46), miel et flocons d'avoine
Midi	Salade de pousses de soja aux abricots et aux amandes (page 55)
Soir	Sauté de légumes au tofu (page 61)

MERCREDI

Matin	Salade de fruits frais (page 67) et 1 cuillerée à café de graines de tournesol
Midi	Ratatouille (page 65) et vermicelle de riz
Soir	Soupe de courge aux haricots cannellini (page 51) et pain sans gluten

JEUDI

Matin	Œuf poché et toast sans gluten
Midi	Soupe d'aubergines épicée (page 52)
Soir	Salade d'asperges aux tomates (page 57) et saumon, truite ou maquereau grillés (remplacez par du fromage de chèvre si vous êtes végétarien)

VENDREDI

Matin	Cocktail tropical (page 46)
Midi	Salade printanière (page 56)
Soir	Pommes de terre au four, thon à l'huile égoutté (remplacez par de l'houmous si vous êtes végétarien, page 49) et salade de radis aux poivrons rouges (page 56)

SAMEDI

Matin	Muesli de fruits frais (page 47)
Midi	Soupe de courgettes à la tomate (page 51)
Soir	Nouilles de riz et sauce piquante (page 68)

DIMANCHE

Matin	Jus de betterave à la poire et aux épinards (page 46) et toast sans gluten tartiné de miel
Midi	Houmous (page 49), crudités et biscottes ou galettes de riz
Soir	Curry de légumes (page 64)

troisième semaine

LUNDI

Matin	Jus de pomme à la carotte et au concombre (page 46) et toast sans gluten tartiné de miel
Midi	Houmous (page 49), crudités et salade de pousses de soja aux abricots et aux amandes (page 55)
Soir	Ragoût de légumes rôtis (page 63), riz complet et barre de céréales aux fruits (page 67)

MARDI

Matin	Yaourt de soja (page 46), salade de fruits et 1 cuillerée à café de graines de tournesol
Midi	Soupe de légumes (page 50), pain sans gluten et fruits frais
Soir	Nouilles de riz aux noix de pécan (page 64) et mesclun en vinaigrette (page 68)

MERCREDI

Matin	½ melon, fruits des bois et 1 cuillerée à café de graines de tournesol
Midi	Salade de fenouil à l'orange (page 54)
Soir	Pilaf de millet (page 63)

JEUDI

Matin	Cocktail tropical (page 46)
Midi	Salade de pois chiches aux tomates (page 53) et tofu grillé

Soir	Courgettes farcies (page 59), salade de cresson et de roquette, et sauce aux noix (page 68)

VENDREDI

Matin	½ pamplemousse et toast sans gluten tartiné de miel
Midi	Houmous (page 49), crudités et salade de riz à l'orange et au concombre (page 56)
Soir	Soupe de courge aux haricots cannellini (page 51), pain sans gluten et salade printanière (page 56)

SAMEDI

Matin	Muesli de fruits frais (page 47)
Midi	Salade d'asperges aux tomates (page 57) et fruits frais
Soir	Paella de légumes (page 62) et pommes cuites aux épices (page 67)

DIMANCHE

Matin	Yaourt de soja (page 46), fruits frais et 1 cuillerée à café de graines de tournesol
Midi	Nouilles au brocoli, au poivron et aux pignons (page 60)
Soir	Pommes de terre au four, houmous (page 49), salsa de tomates au maïs (page 69) et mesclun en vinaigrette (page 68)

quatrième semaine

LUNDI

Matin	Jus de betterave à la poire et aux épinards (page 46) et toast sans gluten tartiné de miel
Midi	Houmous (page 49), crudités et soupe de courgettes à la tomate (page 51)
Soir	Curry de légumes (page 64) et riz complet

MARDI

Matin	½ pamplemousse et toast sans gluten tartiné de miel
Midi	Dip aux petits pois (page 49), crudités, soupe de carottes épicée (page 52) et pain sans gluten
Soir	Sauté de légumes au tofu (page 61) et nouilles de riz

MERCREDI

Matin	Muesli de fruits frais (page 47)
Midi	Soupe de courge aux haricots cannellini (page 51) et pain sans gluten
Soir	Poivrons farcis (page 59) et salade d'asperges aux tomates (page 57)

JEUDI

Matin	Cocktail tropical (page 46)
Midi	Tapenade aux lentilles et aux tomates séchées (page 48), biscottes ou pain sans gluten et salade printanière (page 56)

Soir	Paella de légumes (page 62), salade verte et sauce aux noix (page 68)

VENDREDI

Matin	Yaourt de soja (page 46), 1 cuillerée à café de graines de tournesol et miel
Midi	Soupe d'aubergines épicée (page 52) et pain sans gluten
Soir	Pommes de terre au four, houmous (page 49), salade de radis aux poivrons rouges (page 56) et mousse de fraise (page 66)

SAMEDI

Matin	Muesli de fruits frais (page 47)
Midi	Salade de fenouil à l'orange (page 54), houmous (page 49) et galettes de riz
Soir	Chili de légumes (page 60), salsa de tomates au maïs (page 69) et tortillas de maïs

DIMANCHE

Matin	Agrumes frais, miel et yaourt de soja (page 46)
Midi	Ratatouille (page 65) et vermicelle de riz
Soir	Salade de lentilles aux pommes de terre nouvelles (page 55), salade verte en vinaigrette (page 68) et barre de céréales aux fruits (page 67)

YAOURT AU SOJA

Le yaourt au soja aide à repeupler la flore intestinale grâce à une bactérie présente dans le soja. À déguster avec des fruits frais, des coulis ou du miel.

Pour 4 personnes

600 ml de lait de soja

4 cuil. à soupe de lait de soja en poudre

1 cuil. à soupe de yaourt au soja

1 Dans une casserole, porter le lait à ébullition, laisser tiédir et incorporer le lait de soja en poudre et le yaourt en battant à l'aide d'un fouet.

2 Rincer un thermos avec de l'eau bouillante de façon à le stériliser, transférer la préparation dans le thermos et fermer hermétiquement. Laisser reposer une nuit près d'une source de chaleur.

3 Répartir le contenu du thermos dans des petits pots ou des ramequins, et réserver au réfrigérateur. Réserver 1 cuillerée à soupe du yaourt de façon à pouvoir l'utiliser comme base la fois suivante.

GRAINES ET SANTÉ

Dans un bocal, mettre 1 mesure de graines de sésame, 1 mesure de graines de tournesol, 1 mesure de graines de citrouille et 2 mesures de graines de lin, fermer hermétiquement et conserver au réfrigérateur. Moudre 2 cuillerées à soupe du mélange dans un moulin à café et ajouter à des céréales ou à du yaourt pour garantir un apport quotidien en acides gras essentiels.

COCKTAIL TROPICAL

L'ananas et la papaye sont riches en antioxydants et contiennent des enzymes qui stimulent la digestion.

Pour 2 personnes

1 papaye mûre, pelée, dénoyautée et hachée

½ ananas frais, pelé et haché

150 ml de lait de soja

300 ml de yaourt au soja (*voir* ci-contre)

Mixer les ingrédients dans un robot de cuisine.

JUS DE POMME À LA CAROTTE ET AU CONCOMBRE

Cette boisson est riche en antioxydants et en fibres solubles. De plus, les propriétés diurétiques du concombre et de la carotte aident à lutter contre la rétention d'eau.

Pour 1 personne

1 pomme, non pelée, évidée et hachée

1 carotte, pelée et hachée

½ concombre, haché

Mixer les ingrédients dans un robot de cuisine.

JUS DE BETTERAVE À LA POIRE ET AUX ÉPINARDS

La betterave stimule le foie et purifie le système digestif. La poire est riche en fibres et les épinards contiennent des antioxydants qui luttent contre les radicaux libres.

Pour 1 personne

1 betterave, parée, pelée et hachée

1 poire, évidée et hachée

25 g d'épinards frais

Mixer les ingrédients et délayer avec de l'eau filtrée.

MUESLI DE FRUITS FRAIS

Un savant mélange de vitamines antioxydantes,
de protéines et d'acides gras essentiels.

Pour 1 personne

- 115 g de fruits frais (pommes, fraises, pêches
  et abricots, par exemple)
- 1 cuil. à soupe de flocons d'avoine, mis à tremper
- 1 cuil. à soupe d'eau
- 1 poignée de noisettes concassées

1 Rincer les fruits frais et hacher ou couper en lamelles.
2 Ajouter les flocons d'avoine et l'eau.
3 Parsemer de noisettes concassées.

MUESLI

Les figues contiennent des enzymes protéolytiques,
qui favorisent l'absorption des autres nutriments.

Pour 10 personnes

- 225 g de flocons d'avoine
- 85 g de noix du Brésil et la même quantité
  d'amandes et d'avelines, non mondées
- 85 g de figues sèches et la même quantité de pêches,
  d'abricots et de raisins secs, hachés
- 25 g de graines de tournesol

Mélanger les ingrédients et servir accompagné de jus
de pomme, de lait de soja ou de lait d'amande.

dips & sauces

Tapenade aux lentilles et aux tomates séchées

TAPENADE AUX LENTILLES ET AUX TOMATES SÉCHÉES

Cette tapenade est source de bonnes graisses, de vitamine C et de fibres solubles.

1 gousse d'ail, écrasée

3 oignons verts, émincés

½ piment rouge frais, épépiné
   et finement haché

2 tomates séchées au soleil, hachées

4 olives noires, dénoyautées

225 ml de bouillon de légumes

115 g de lentilles rouges, rincées

poivre noir

1 Dans une casserole, mettre l'ail, les oignons verts, le piment, les tomates séchées, les olives et la moitié du bouillon, et porter à ébullition. Réduire le feu et cuire jusqu'à ce que les oignons verts soient tendres.

2 Incorporer les lentilles et le bouillon restant, et cuire 20 minutes, jusqu'à ce que les lentilles soient tendres, en ajoutant éventuellement de l'eau de sorte qu'elles n'attachent pas. Saler, poivrer et laisser refroidir.

3 Transférer dans un robot de cuisine et mixer jusqu'à obtention d'une consistance homogène. Transférer dans un bol et couvrir. Mettre au réfrigérateur.

Proposer ces dips et sauces avec des bâtonnets de crudités ou du pain sans gluten.

DIP AUX PETITS POIS

Les petits pois surgelés constituent une bonne source de vitamine C. Ce dip peut remplacer à merveille le guacamole, l'avocat étant très riche en graisses.

jus et zeste d'un citron vert
½ piment vert frais, épépiné et finement haché
2 cuil. à soupe de persil frais haché
1 cuil. à soupe de coriandre fraîche hachée
225 g de petits pois surgelés, décongelés
4 oignons verts, hachés

1 Dans un robot de cuisine, mettre tous les ingrédients, excepté le zeste de citron vert, et mixer jusqu'à obtention d'un consistance homogène. Ajouter éventuellement un peu d'eau de façon à fluidifier légèrement le dip.
2 Mettre dans un bol, couvrir et mettre au réfrigérateur.
3 Pour servir, parsemer de zeste de citron vert.

HOUMOUS

Les pois chiches sont très nourrissants et polyvalents.

400 g de pois chiches en boîte, égouttés et rincés
2 gousses d'ail
2 à 3 cuil. à soupe d'eau
2 cuil. à soupe de pâte de sésame
1 cuil. à soupe d'huile d'olive
jus d'un citron
poivre noir
paprika, pour servir

1 Dans un robot de cuisine, mettre les pois chiches, l'ail, l'eau, la pâte de sésame, l'huile d'olive et le jus de citron, mixer jusqu'à obtention d'une consistance homogène et poivrer.
2 Mettre dans un bol, couvrir et mettre au réfrigérateur.
3 Pour servir, saupoudrer de paprika.

CRUDITÉS

La plupart des légumes peuvent être consommés crus et complètent parfaitement l'apport en fibres d'une de ces sauces. Choisissez parmi les légumes suivants :

- bâtonnets de carotte
- bâtonnets de céleri
- bâtonnets de concombre
- bâtonnets de courgette
- lanières de poivron
- mini-épis de maïs
- fleurettes de brocoli ou de chou-fleur
- oignons verts
- pois mange-tout
- radis
- tomates

Soupe de légumes

1 oignon, coupé en deux et non pelé

4 gousses d'ail

4 tomates mûres

2 aubergines, coupées en deux dans la longueur

2 poivrons rouges, coupés en deux et épépinés

1 cuil. à soupe d'huile d'olive

5 brins de thym

1 feuille de laurier

1 litre de bouillon de légumes

tomates séchées au soleil, hachées

½ citron, pressé

poivre noir

1 poignée de feuilles de basilic, ciselées

SOUPE DE LÉGUMES

Ce mélange d'aubergine, de poivron, de tomate et d'ail grillés fait une délicieuse soupe méditerranéenne, riche en vitamines, en fibres solubles et en phytonutriments. Ajouter éventuellement des courgettes grillées.

Pour 4 à 6 personnes

1 Passer l'oignon, l'ail, les tomates, les aubergines et les poivrons au gril préchauffé 10 minutes, jusqu'à ce que les légumes soient grillés et tendres. Laisser tiédir, peler l'oignon, l'ail et les tomates, et retirer la peau noircie des poivrons et des aubergines. Hacher le tout finement.

2 Dans une casserole, chauffer l'huile, ajouter le thym et le laurier, et cuire 2 minutes. Ajouter les légumes hachés et les tomates séchées, mouiller avec le bouillon et porter à ébullition. Couvrir et laisser mijoter 20 minutes à feu doux.

3 Laisser tiédir, retirer le laurier et transférer dans un robot de cuisine. Mixer brièvement de façon à conserver une texture épaisse.

4 Reverser la soupe dans la casserole, arroser de jus de citron et poivrer. Réchauffer le tout.

5 Pour servir, parsemer de feuilles de basilic.

SOUPE DE COURGE AUX HARICOTS CANNELLINI

Cette soupe nourrissante contient des vitamines A, C et E, antioxydantes.

Pour 4 personnes

    1 poivron rouge, coupé en deux et épépiné
    1 litre de bouillon de légumes
    1 oignon, finement haché
    2 gousses d'ail, hachées
    1 courge butternut, pelée et coupée en dés
    450 g de patates douces, pelées et coupées en dés
    1 cuil. à café de sauge hachée
    1 feuille de laurier
    400 g de haricots cannellini en boîte, égouttés et rincés
    1 cuil. à café d'huile d'olive
    jus de ½ citron
    poivre noir

1 Passer les poivrons au gril jusqu'à ce qu'ils aient noirci. Mettre dans un sac plastique, laisser tiédir et retirer la peau noircie. Couper la chair en lanières.
2 Dans une casserole, chauffer un peu de bouillon, ajouter l'oignon et l'ail, et cuire quelques minutes, jusqu'à ce qu'ils soient tendres. Ajouter la courge et les patates douces, et cuire 5 minutes.
3 Ajouter le poivron et les fines herbes, mouiller avec le bouillon restant et porter à ébullition. Réduire le feu, couvrir et laisser mijoter 30 minutes, jusqu'à ce que les légumes soient tendres.
4 Retirer la feuille de laurier, ajouter les haricots, l'huile d'olive et le jus de citron, et poivrer. Cuire encore 5 minutes et servir chaud.

SOUPE DE COURGETTES À LA TOMATE

Les tomates sont d'excellentes sources de vitamine C, et contiennent du lycopène, puissant antioxydant. Les courgettes sont diurétiques. L'ail et l'oignon sont riches en soufre, qui permet l'élimination des toxines. Le basilic stimule la circulation sanguine.

Pour 4 personnes

    450 g de tomates mûres
    1 litre de bouillon de légumes
    1 oignon, finement haché
    2 gousses d'ail, finement hachées
    poivre noir
    225 g de courgettes
    1 cuil. à café d'huile d'olive
    1 poignée de feuilles de basilic
       ciselées

1 Pratiquer une incision en croix à la base des tomates, couvrir d'eau bouillante et laisser reposer 2 minutes. Égoutter, retirer la peau en partant de l'incision et hacher. Réserver.
2 Dans une casserole, chauffer un peu de bouillon, ajouter l'oignon et l'ail, et faire revenir jusqu'à ce qu'ils soient translucides. Ajouter les tomates, mouiller avec le bouillon restant et porter à ébullition. Couvrir, laisser mijoter 20 minutes et poivrer. Ajouter les cubes de courgette à la soupe, porter à frémissement et laisser mijoter 2 minutes, jusqu'à ce que les courgettes soient juste tendres. Ajouter l'huile d'olive.
3 Pour servir, répartir la soupe dans des bols et parsemer de feuilles de basilic ciselées.

SOUPE D'AUBERGINES ÉPICÉE

Cette soupe froide contient des épices très utilisées dans la cuisine du Moyen-Orient, et lutte efficacement contre la rétention d'eau.

Pour 4 personnes

    1 aubergine, coupée en deux dans la longueur

    2 cuil. à soupe de bouillon de légumes

    1 oignon rouge, haché

    2 gousses d'ail, grossièrement hachées

    ½ piment oiseau, épépiné et finement haché

    1 cuil. à café de cumin en poudre

    1 cuil. à café de paprika

    1 poignée de coriandre fraîche

    1 poignée de menthe fraîche,
      un peu plus pour servir

    1 cuil. à café d'huile d'olive

    ½ citron, pressé

    poivre noir

    125 ml de yaourt de soja (page 46),
      un peu plus pour servir

    1 concombre, pelé et coupé en dés

1 Passer l'aubergine au gril 10 minutes, jusqu'à ce que la peau noircisse, et laisser tiédir.

2 Dans un poêle, chauffer le bouillon à feu doux, ajouter l'oignon, l'ail, le piment et les épices, et faire revenir jusqu'à ce que l'oignon et l'ail soient tendres, sans avoir doré.

3 Râper la chair de l'aubergine dans une passoire et presser à l'aide d'une cuillère en bois de façon à exprimer l'excédent de liquide. Mettre l'aubergine, l'oignon, l'ail, le piment, les épices, la coriandre, la menthe, l'huile d'olive et le jus de citron dans un robot de cuisine et réduire en purée.

4 Verser la soupe dans une terrine, poivrer et ajouter le yaourt et le concombre. Réserver au réfrigérateur.

5 Pour servir, répartir la soupe dans des bols, garnir d'une volute de yaourt au soja et d'un brin de menthe.

SOUPE DE CAROTTES ÉPICÉE

Les carottes, mûres en particulier, sont d'excellentes sources de béta-carotène, que le corps transforme en vitamine A. Le gingembre stimule la circulation sanguine.

Pour 4 personnes

    1 oignon, haché

    1 gousse d'ail, hachée

    1 litre de bouillon de légumes

    675 g de carottes, hachées

    1 cuil. à café de gingembre frais râpé

    1 cuil. à soupe de coriandre hachée

1 Dans une casserole, chauffer un peu de bouillon, ajouter l'oignon et l'ail, et cuire jusqu'à ce que l'oignon soit translucide. Ajouter les carottes et le gingembre, couvrir et cuire 5 minutes en remuant de temps en temps.

2 Mouiller avec le bouillon restant, porter à ébullition et réduire le feu. Laisser mijoter 15 minutes, jusqu'à ce que les carottes soient tendres.

3 Transférer dans un robot de cuisine, réduire en purée et reverser dans la casserole. Réchauffer et servir garni de coriandre hachée.

salades

SALADE DE POIS CHICHES AUX TOMATES

Les pois chiches sont riches en protéines, en phosphore, en soufre et en potassium. Servir accompagné de cubes de tofu fumé grillé ou de fromage de chèvre.

Pour 4 personnes

175 g de pois chiches secs
ou 400 g de pois chiches en boîte,
rincés et égouttés
1 piment vert, épépiné et finement haché
1 gousse d'ail, hachée
jus et zeste de 2 citrons
2 cuil. à soupe d'huile d'olive
1 cuil. à soupe d'eau
poivre noir
225 g de tomates mûres, concassées
1 oignon rouge, finement émincé
1 poignée de feuilles de basilic fraîches,
ciselées
1 romaine, ciselée

1 Faire tremper les pois chiches secs toute la nuit, cuire 30 minutes à l'eau bouillante, jusqu'à ce qu'ils soient tendres, et laisser refroidir.

2 Dans un bocal, mettre le piment, l'ail, le jus de citron, le zeste de citron, l'huile, l'eau et le poivre noir, secouer vigoureusement et rectifier l'assaisonnement.

3 Ajouter les tomates, l'oignon et le basilic aux pois chiches, mélanger délicatement et incorporer la sauce. Pour servir, répartir la salade sur un lit de romaine.

salade de pois chiches aux tomates

SALADE DE FENOUIL
À L'ORANGE

Le fenouil stimule le foie, améliore la digestion
des graisses et aide à lutter contre la rétention d'eau.

Pour 4 personnes

- 2 oranges, coupées en rondelles, en réservant le jus
- 1 bulbe de fenouil, finement émincé
- 1 oignon rouge, pelé et coupé en anneaux
- 2 cuil. à soupe de vinaigre balsamique

1 Dans un plat peu profond, répartir les rondelles d'orange, ajouter une couche de fenouil et garnir d'oignon.

2 Mélanger le jus d'orange et le vinaigre balsamique, et arroser la salade du mélange obtenu.

SALADE DE LENTILLES AUX POMMES DE TERRE NOUVELLES

Ce plat très nourrissant peut être servi en plat principal.

Pour 4 personnes

85 g de lentilles

450 g de pommes de terre nouvelles

6 oignons verts

1 cuil. à soupe d'huile d'olive

2 cuil. à soupe de vinaigre balsamique

poivre noir et fleur de sel

1 Porter une casserole d'eau à ébullition. Rincer les lentilles, ajouter dans la casserole et cuire 20 minutes, jusqu'à ce qu'elles soient tendres. Égoutter, rincer et réserver.

2 Pendant ce temps, cuire les pommes de terre nouvelles à l'eau ou à la vapeur, jusqu'à ce qu'elles soient bien tendres. Égoutter et couper en deux.

3 Couper la base des oignons verts et couper en fines lanières.

4 Dans un saladier, mettre les lentilles, les pommes de terre nouvelles et les oignons verts, incorporer l'huile et le vinaigre balsamique, et poivrer à volonté. Ajouter éventuellement un peu de fleur de sel.

SALADE DE POUSSES DE SOJA AUX ABRICOTS ET AUX AMANDES

Cette salade sucrée regorge d'antioxydants, qui aident à entretenir le système sanguin. Le soja est riche en vitamine E, les abricots sont une excellente source de fer et les amandes procurent des protéines et des acides gras essentiels.

Pour 4 personnes

115 g de pousses de soja, rincées et séchées

1 petite grappe de raisin noir et de raisin blanc, grains coupés en deux

12 abricots secs, coupés en deux

1 cuil. à soupe d'huile de noix

1 cuil. à café d'huile de sésame

2 cuil. à café de vinaigre balsamique

25 g d'amandes mondées, coupées en deux

poivre noir

1 Dans un saladier, mettre les pousses de soja, et ajouter les abricots secs et les raisins.

2 Verser les huiles et le vinaigre dans un bocal, secouer vigoureusement et napper la salade.

3 Parsemer d'amandes mondées et poivrer à volonté.

SALADE DE RIZ À L'ORANGE ET AU CONCOMBRE

Le riz sauvage, à la saveur de noisette, est riche en nutriments. L'orange favorise l'élimination des toxines et le concombre aide à lutter contre la rétention d'eau.

Pour 4 personnes

>   225 g de riz sauvage
>   850 ml d'eau
>   1 gousse d'ail, hachée
>   1 cuil. à soupe de vinaigre balsamique
>   2 cuil. à soupe d'huile d'olive
>   fleur de sel et poivre noir
>   1 poivron rouge, 1 jaune et 1 orange, pelés, épépinés et finement émincés
>   ½ concombre
>   1 orange, pelée et coupée en dés
>   3 tomates mûres, concassées
>   1 oignon rouge, très finement haché
>   1 poignée de persil plat frais, haché

1 Dans une casserole, mettre le riz et l'eau, et porter à ébullition. Remuer, couvrir et laisser mijoter 40 minutes, jusqu'à ce que le riz soit al dente. Retirer le couvercle en fin de cuisson de sorte que l'eau restante puisse s'évaporer.

2 Pour la sauce, mettre l'ail, le vinaigre, l'huile, du sel et du poivre dans un bocal, secouer vigoureusement et rectifier l'assaisonnement.

3 Égoutter le riz, mettre dans un saladier, ajouter la sauce et mélanger. Incorporer les poivrons, l'orange, le concombre, les tomates, l'oignon et le persil plat, et servir.

SALADE DE RADIS AUX POIVRONS ROUGES

Cette salade favorise le fonctionnement du système immunitaire, améliore la digestion des graisses et fortifie le sang. Le radis stimule les organes digestifs, la bette et l'oignon vert favorisent la circulation sanguine, tandis que le poivron rouge est un parfait antioxydant.

Pour 4 personnes

>   2 poivrons rouges
>   1 trévise, effeuillée
>   4 bettes entières, cuites et coupées en fines lanières
>   12 radis, émincés
>   4 oignons verts, finement hachés
>   4 cuil. à soupe de vinaigrette (page 68)

1 Épépiner les poivrons, retirer les membranes et couper en anneaux.

2 Mélanger les ingrédients et incorporer la sauce.

SALADE PRINTANIÈRE

Cette salade diurétique aide à lutter contre la rétention d'eau.

Pour 4 personnes

>   2 pommes à couteau, évidées et coupées en dés
>   jus d'un citron
>   1 morceau de pastèque, épépiné et coupé en dés
>   1 endive, coupée en anneaux
>   4 branches de céleri avec les feuilles, hachées
>   1 cuil. à soupe d'huile de noix

1 Mélanger les pommes et le jus de citron.

2 Mettre tous les ingrédients dans un saladier, ajouter l'huile de noix et mélanger.

SALADE D'ASPERGES AUX TOMATES

L'asperge est diurétique et stimule le fonctionnement des reins. La tomate est riche en lycopène, un antioxydant qui protège le cœur et les vaisseaux sanguins. La roquette est source de vitamines A et C, ainsi que de fer.

Pour 4 personnes

  225 g de pointes d'asperges
  1 mâche, rincée et ciselée
  25 g de feuilles de roquette
  450 g de tomates mûres, coupées
    en rondelles
  12 olives noires, dénoyautées et hachées
  1 cuil. à soupe de pignons grillés
  1 cuil. à café d'huile au citron
  1 cuil. à soupe d'huile de noix
  1 cuil. à café de moutarde à l'ancienne
  2 cuil. à soupe de vinaigre balsamique
  fleur de sel et poivre noir

1 Cuire les asperges à la vapeur 8 minutes, jusqu'à ce qu'elles soient tendres. Rincer à l'eau courante de façon à stopper la cuisson et couper en tronçons de 5 cm.

2 Répartir la mâche et la roquette dans un saladier, ajouter les rondelles de tomates à la circonférence et garnir le centre d'asperges.

3 Parsemer d'olives noires et de pignons. Mettre l'huile au citron, l'huile de noix, la moutarde et le vinaigre dans un bocal, ajouter du sel et du poivre, et secouer vigoureusement. Napper la salade et servir.

Salade d'asperges aux tomates

NOUILLES AU BROCOLI, AU POIVRON ET AUX PIGNONS

Cette recette nutritive et rapide à préparer regorge de vitamines antioxydantes.

Pour 4 personnes

    1 poivron rouge et 1 jaune, coupés en quatre
    350 g de nouilles de riz chinoises
    1 tête de brocoli, en fleurettes
    2 ½ oignons, finement hachés
    2 gousses d'ail, hachées
    2 cuil. à soupe de bouillon de légumes
    1 cuil. à soupe de concentré de tomate
    25 g de pignons
    12 olives noires, dénoyautées et émincées
    1 cuil. à soupe de basilic frais ciselé,
      un peu plus pour servir
    poivre noir

1 Passer les poivrons au gril, côté peau vers le haut, jusqu'à ce qu'ils aient noirci. Laisser tiédir, retirer la peau noircie et couper la chair en lanières.

2 Cuire les nouilles à l'eau bouillante selon les instructions figurant sur le paquet. Cuire le brocoli 5 minutes à la vapeur, jusqu'à ce qu'il soit tendre.

3 Dans une casserole, chauffer le bouillon, ajouter les oignons et l'ail, et cuire jusqu'à ce que les oignons soient translucides. Ajouter les poivrons, le concentré de tomate, le brocoli, les pignons, les olives et le basilic. Saler et poivrer, chauffer 2 minutes et ajouter les pâtes.

4 Transférer la préparation obtenue dans un plat de service et parsemer de basilic.

CHILI DE LÉGUMES

Ce plat polyvalent peut être servi avec du riz, utilisé pour farcir des tortillas ou être incorporé à une salade. Les haricots sont une bonne source de protéines, de vitamine B, de minéraux, de fibres et de féculents.

Pour 4 personnes

    1 oignon, haché
    2 gousses d'ail, hachées
    ½ piment rouge frais, épépiné et haché
    300 ml de bouillon de légumes
    1 cuil. à soupe de paprika
    1 cuil. à soupe de concentré de tomate
    1 pomme de terre, pelée et coupée en dés
    2 carottes, hachées
    1 courgette, hachée
    115 g de haricots verts, émincés
    1 poivron rouge et 1 vert, épépinés et hachés
    400 g de tomates concassées en boîte
    400 g de haricots cannellini en boîte, égouttés
      et rincés
    poivre noir
    coriandre fraîche hachée, pour servir

1 Dans une casserole, chauffer un peu de bouillon, ajouter l'oignon, l'ail et le piment, et cuire 5 minutes. Ajouter le paprika et le concentré de tomates.

2 Incorporer les légumes, mouiller avec le bouillon restant et porter à ébullition. Réduire le feu et cuire encore 15 minutes.

3 Ajouter les haricots et cuire encore 10 minutes.

4 Poivrer, garnir de coriandre et servir accompagné de riz complet.

SAUTÉ DE LÉGUMES AU TOFU

Le tofu est une excellente source de protéines mais doit être assaisonné car son goût est totalement neutre. Le liquide ajouté en fin de cuisson permet d'achever la cuisson à la vapeur.

Pour 4 personnes

- 2 cuil. à soupe de bouillon de légumes
- 4 oignons verts, hachés
- 2 gousses d'ail, hachées
- 1 morceau de gingembre frais de 2,5 cm, pelé et râpé
- ½ piment vert frais, épépiné et finement haché
- 1 poivron rouge et 1 jaune, épépinés et émincés
- 115 g de haricots verts, coupés en tronçons de 2,5 cm
- 1 tête de brocoli, en fleurettes
- 115 g de pousses de soja, rincées
- 225 g de tofu ferme, coupé en cubes
- 2 cuil. à soupe d'eau
- jus d'un citron
- 2 cuil. à café d'huile de sésame
- 55 g d'amandes, mondées et coupées en deux

1 Dans un wok, chauffer le bouillon, ajouter les oignons verts, l'ail, le gingembre et le piment, et faire revenir 2 minutes.

2 Ajouter les légumes et faire revenir 3 à 4 minutes. Incorporer le tofu et cuire encore 2 minutes.

3 Mélanger l'eau et le jus de citron, ajouter dans le wok et cuire encore 1 minute.

4 Incorporer l'huile de sésame et les amandes, et servir accompagné de riz ou de nouilles de riz.

Sauté de légumes au tofu

PAELLA DE LÉGUMES

Le riz complet confère une texture crémeuse à ce plat d'inspiration espagnole. Les graines de citrouille sont source de zinc, essentiel pour l'élasticité de la peau.

Pour 4 personnes

- 600 ml de bouillon de légumes
- 1 oignon, finement haché
- 2 gousses d'ail, hachées
- 200 g de riz complet à grains courts
- 115 g de petits pois, frais ou surgelés
- 115 g de haricots verts, coupés en tronçons de 2,5 cm
- 4 cœurs d'artichauts, coupés en deux
- 6 stigmates de safran
- 6 tomates, pelées (page 51) et concassées
- 1 cuil. à café d'origan sec
- 1 cuil. à soupe de thym frais haché
- 2 cuil. à soupe de persil frais haché, un peu plus pour servir
- poivre noir
- jus d'un citron
- 12 olives noires, dénoyautées et coupées en deux
- 2 cuil. à soupe de graines de citrouille
- quartiers de citron, en garniture

Paella de légumes

1 Dans une casserole, chauffer un peu de bouillon, ajouter l'oignon et l'ail, et cuire jusqu'à ce qu'ils soient tendres.

2 Ajouter le riz et cuire 1 minute à feu doux. Incorporer les petits pois, les haricots et les cœurs d'artichauts, mélanger et cuire à feu très doux 4 à 5 minutes.

3 Dans une autre casserole, porter le bouillon restant à ébullition, faire infuser le safran et ajouter à la paella.

4 Incorporer les tomates et les fines herbes, porter à ébullition et réduire le feu. Cuire 30 minutes sans couvrir en remuant de temps en temps. Ajouter éventuellement de l'eau.

5 Poivrer, ajouter le jus de citron et incorporer les olives et les graines de citrouille, garnir de quartiers de citron et de persil. Servir chaud.

PILAF DE MILLET

Les fèves sont une bonne source de protéines, de sélénium, de zinc, de potassium et de fer.

Pour 4 personnes

300 ml de bouillon de légumes

1 oignon, haché

1 gousse d'ail, hachée

6 gousses de cardamome

1 bâton de cannelle

2 feuilles de laurier

175 g de millet

115 g de fèves surgelées

115 de petits pois, frais ou surgelés

poivre noir

55 g de graines de tournesol

2 cuil. à soupe de persil frais haché

1 cuil. à soupe de menthe fraîche hachée

1 Dans une poêle, chauffer un peu de bouillon, ajouter l'oignon et l'ail, et cuire 5 minutes, jusqu'à ce qu'ils soient tendres. Ajouter les épices et le laurier, et cuire 2 minutes à feu moyen.

2 Retirer les épices et le laurier, ajouter le millet et mouiller avec le bouillon restant. Porter à ébullition, couvrir et réduire le feu.

3 Cuire 20 minutes, en ajoutant éventuellement de l'eau si la préparation attache à la casserole.

4 Ajouter les fèves et les petits pois, et cuire encore 5 minutes.

5 Poivrer, incorporer les graines de tournesol, le persil et la menthe, et servir immédiatement.

RAGOÛT DE LÉGUMES RÔTIS

Les légumes racine renforcent le système immunitaire. Le fenouil aide à maintenir l'équilibre hormonal et a un effet drainant sur l'organisme.

Pour 4 personnes

3 gousses d'ail, pelées

1 oignon, haché

1 panais, pelé et coupé en rondelles

2 carottes, pelées et coupées en rondelles

1 courge butternut ou 1 petit potiron, pelés et coupés en lamelles

1 bulbe de fenouil, coupé en deux et émincé

1 patate douce, pelée et coupée en dés

1 cuil. à soupe d'huile d'olive

300 ml de bouillon de légumes

1 cuil. à soupe d'estragon frais haché

1 cuil. à soupe de moutarde à l'ancienne

1 cuil. à soupe de concentré de tomate

jus d'un citron

poivre noir

1 Préchauffer le four à 200 °C (th. 6-7).

2 Répartir les légumes dans un plat allant au four, arroser d'huile et ajouter la moitié du bouillon. Mélanger.

3 Cuire au four 30 minutes, jusqu'à ce que les légumes soient tendres, en remuant de temps en temps.

4 Réduire la température du four à 180 °C (th. 6). Mélanger le bouillon restant, l'estragon, la moutarde, le concentré de tomate, le jus de citron et du poivre noir, et ajouter aux légumes. Cuire encore 15 minutes et servir accompagné de riz complet et de salade de haricots.

CURRY DE LÉGUMES

Les lentilles sont une bonne source de protéines, de fer et de vitamine B. La vitamine C contenue dans les légumes favorise l'absorption du fer. Les propriétés diurétiques du fenouil, du céleri et du persil assurent une parfaite élimination.

Pour 4 personnes

1 oignon, finement haché

2 gousses d'ail, hachées

1 cuil. à café de cumin en poudre

1 cuil. à café de curcuma en poudre

1 cuil. à café de poudre de piment

1 cuil. à café de gingembre en poudre

600 ml de bouillon de légumes

2 branches de céleri, coupées en rondelles

2 carottes, pelées et hachées

1 poivron rouge et 1 vert, épépinés et hachés

1 bulbe de fenouil, coupé en rondelles de 1 cm d'épaisseur

2 courgettes, coupées en rondelles

1 tête de brocoli, en fleurettes

115 g de lentilles rouges ou vertes

jus d'un citron

poivre noir

4 cuil. à soupe de persil frais haché

2 cuil. à soupe coriandre fraîche hachée

1 Dans une casserole, mettre l'oignon, l'ail, les épices et la moitié du bouillon, couvrir et porter à ébullition. Cuire 5 minutes, jusqu'à ce que l'oignon soit translucide, incorporer le céleri, les carottes, les poivrons et le fenouil, et réduire le feu. Cuire 5 minutes en remuant souvent.

2 Incorporer les courgettes, le brocoli, les lentilles et le jus de citron, mouiller avec le bouillon restant et poivrer. Couvrir et laisser mijoter 20 minutes, jusqu'à ce que les légumes et les lentilles soient tendres.

3 Incorporer les fines herbes juste avant de servir et ajouter 1 pincée de fleur de sel si nécessaire. Servir accompagné de riz complet.

NOUILLES DE RIZ AUX NOIX DE PÉCAN

Le persil est diurétique. Le basilic et l'ail sont excellents pour la circulation.

Pour 4 personnes

55 g de noix de pécan

2 cuil. à soupe de bouillon de légumes

2 gousses d'ail, hachées

1 piment rouge, épépiné et finement haché

1 poignée de feuilles de persil frais, ciselées

poivre noir

12 feuilles de basilic frais, ciselées

225 g de nouilles de riz

1 Concasser les noix de pécan dans un robot de cuisine ou hacher finement à la main.

2 Dans une casserole, chauffer le bouillon, ajouter l'ail, le piment et le persil, et cuire 1 minute. Ajouter les noix de pécan et cuire encore 1 minute sans cesser de remuer en veillant à ne pas laisser brûler. Poivrer, retirer du feu et incorporer le basilic.

3 Cuire les nouilles selon les instructions figurant sur le paquet et égoutter. Incorporer au mélange à base de noix de pécan et servir immédiatement.

RATATOUILLE

Ce traditionnel mélange de saveurs méditerranéennes regorge de vitamines et d'huiles essentielles anti-bactériennes. Cette ratatouille est délicieuse avec du vermicelle de riz ou du sarrasin.

Pour 4 personnes

- 2 poivrons rouges, épépinés et coupés en quatre
- 2 cuil. à soupe de bouillon de légumes
- 1 oignon, très finement haché
- 3 gousses d'ail, hachées
- 2 aubergines, coupées en dés
- 3 courgettes, coupées en rondelles
- 400 g de tomates concassées en boîte
- feuilles d'un brin de thym, de marjolaine et d'origan
- poivre noir
- 2 cuil. à café d'huile d'olive
- 1 poignée de persil plat frais haché
- 1 poignée de feuilles de basilic frais ciselées

1 Passer les poivrons au gril, côté peau vers le haut, jusqu'à ce qu'ils aient noirci. Laisser tiédir, retirer la peau noircie et couper la chair en morceaux.

2 Dans une casserole, chauffer le bouillon, ajouter l'oignon et l'ail, et cuire jusqu'à ce que l'oignon soit translucide. Ajouter les aubergines et les courgettes, cuire encore 5 minutes et incorporer les poivrons. Faire revenir encore 1 minute en remuant souvent.

3 Ajouter les tomates, le thym, la marjolaine et l'origan, et poivrer.

4 Couvrir, laisser mijoter 40 minutes et ajouter l'huile, le persil et le basilic. Cuire encore 10 minutes sans couvrir jusqu'à ce que le liquide se soit évaporé.

Ratatouille

Mousse de fraise

MOUSSE DE FRAISE

Les fraises sont riches en vitamine C, mais également en antioxydants puissants qui leur donnent cette couleur. Les fraises peuvent être remplacées par d'autre baies, cerises noires, myrtilles ou groseilles, par exemple.

Pour 4 personnes

- 225 g de tofu
- 450 g de fraises mûres, équeutées, rincées et séchées
- zeste d'une orange
- 1 cuil. à café de miel

1 Égoutter le tofu et mettre dans un robot de cuisine.

2 Hacher grossièrement les fraises et ajouter dans le robot de cuisine. Réserver un peu de zeste d'orange pour la garniture et ajouter le zeste restant dans le robot de cuisine avec le miel.

3 Mixer jusqu'à obtention d'une consistance homogène, répartir dans des coupes à dessert et réserver au réfrigérateur.

4 Décorer de zeste d'orange et servir.

SALADE DE FRUITS FRAIS

Cette salade de fruits colorée contient une multitude de vitamines et d'antioxydants

Pour 4 personnes

    1 mangue ou 1 papaye mûre ou 2 pêches
      ou 2 nectarines

    1 ananas

    2 kiwis

    115 g de grosses fraises, coupées en quartiers

    115 g de raisin blanc et 115 g de raisin noir

    jus d'un citron

    4 cuil. à soupe de jus de pomme

1 Peler la mangue, l'ananas et le kiwi en procédant au-dessus d'une terrine de façon à réserver le jus. Mettre les fruits pelés dans la terrine et ajouter les fraises.

2 Couper les raisins en deux et ajouter dans la terrine.

3 Verser le jus de citron et le jus de pomme, mélanger et mettre au réfrigérateur quelques heures.

POMMES CUITES AUX ÉPICES

Un des principaux avantages des pommes est leur teneur en fibres solubles, la pectine, qui aide à réduire le taux de cholestérol et facilite la digestion. Il est également possible d'utiliser des poires.

Pour 4 personnes

    4 pommes à cuire, évidées

    55 g de mélange de fruits secs

    1 cuil. à café de miel

    ½ cuil. à café de gingembre en poudre

    ½ cuil. à café de cannelle en poudre

1 Préchauffer le four à 190 °C (th. 6-7).

2 Mettre les pommes dans un plat allant au four.

3 Mélanger les fruits secs, le miel et les épices, farcir les pommes et verser 4 cuillerées à soupe d'eau dans le plat. Couvrir de papier d'aluminium et cuire 30 minutes, jusqu'à ce que les pommes soient tendres.

4 Servir chaud accompagné de yaourt de soja (page 46).

BARRES DE CÉRÉALES AUX FRUITS

Les dattes et les abricots sont d'excellentes sources de fer. Les noix contiennent des acides gras essentiels ainsi que des protéines.

Pour 4 personnes

    55 g d'abricots secs

    55 g de dattes, dénoyautées

    55 g de raisins secs

    55 g de graines de tournesol

    55 g de noisettes

    115 g de flocons d'avoine

    jus d'un citron

    1 cuil. à soupe de jus de pomme

1 Préchauffer le four à 180 °C (th. 6).

2 Hacher finement les fruits secs et les noisettes, et mélanger aux ingrédients restants.

3 Chemiser de papier sulfurisé un moule carré de 18 cm de côté, répartir la préparation dans le moule et cuire au four 15 minutes.

4 Couper immédiatement en barres de céréales.

sauces & salsas

VINAIGRETTE

Cette vinaigrette se conserve une semaine dans un bocal hermétique à l'abri de la lumière. Elle convient à tous les types de salade. L'huile d'olive, l'ail, le romarin et le vinaigre de cidre sont extrêmement bénéfiques pour les systèmes circulatoires et digestifs.

    200 ml d'huile d'olive
    115 ml de vinaigre de cidre
    2 cuil. à soupe d'eau
    1 cuil. à soupe de miel
    1 cuil. à soupe de moutarde à l'ancienne
    1 gousse d'ail, finement hachée
    1 brin de romarin
    1 pincée de sel et de poivre noir fraîchement
        moulu

Mettre les ingrédients dans un bocal hermétique et secouer vigoureusement. Rectifier éventuellement l'assaisonnement en ajoutant de la moutarde, du vinaigre, du sel ou du poivre. Cette recette permet d'obtenir 300 ml de vinaigrette, mais il est possible de modifier la quantité en conservant les proportions.

SAUCE AUX NOIX

L'huile de noix est riche en vitamine E, essentielle à une bonne circulation. Cette sauce est recommandée pour accompagner une salade de roquette ou de cresson.

    1 cuil. à soupe d'huile de noix
    1 cuil. à soupe de jus de citron

Mélanger l'huile et le jus de citron, incorporer à la salade et mélanger.

SAUCE PIQUANTE

Riche en agents purifiants, cette sauce peut accompagner un sauté ou des nouilles de riz.

Pour 4 personnes

    2 cuil. à soupe de bouillon de légumes
    1 petit oignon, finement haché
    2 gousses d'ail, hachées
    1 à 2 piments rouges frais, épépinés et finement
        hachés
    1 cuil. à soupe de concentré de tomate
    400 g de tomates concassées en boîte
    1 poignée de persil, sans les tiges, finement
        haché
    1 poignée de feuilles de basilic, ciselées,
        un peu plus pour servir
    12 olives, dénoyautées et émincées
    jus d'un citron
    poivre noir

1 Dans une casserole, chauffer le bouillon, ajouter l'oignon, l'ail et les piments, et faire revenir quelques minutes. Incorporer le concentré de tomate et les tomates concassées, et laisser mijoter 5 minutes. Ajouter les fines herbes et cuire encore 5 minutes.

2 Incorporer les olives, faire revenir 2 minutes et arroser de jus de citron. Poivrer à volonté et garnir de basilic. Servir en accompagnement d'un sauté ou de nouilles de riz.

SALSA DE TOMATES AU MAÏS

Cette salsa aide à purifier l'organisme et à stimuler
la circulation sanguine.

Pour 4 personnes

115 g de maïs surgelé

½ oignon rouge, finement haché

½ piment rouge, épépiné et finement haché

115 g de tomates mûres, concassées

½ concombre, haché

4 radis, coupés en rondelles

1 cuil. à soupe de basilic frais, ciselé

jus d'un citron

poivre noir

1 Cuire le maïs selon les instructions figurant sur
le paquet, égoutter et laisser refroidir.

2 Mélanger tous les ingrédients, couvrir et laisser
reposer 1 heure à température ambiante avant de
servir.

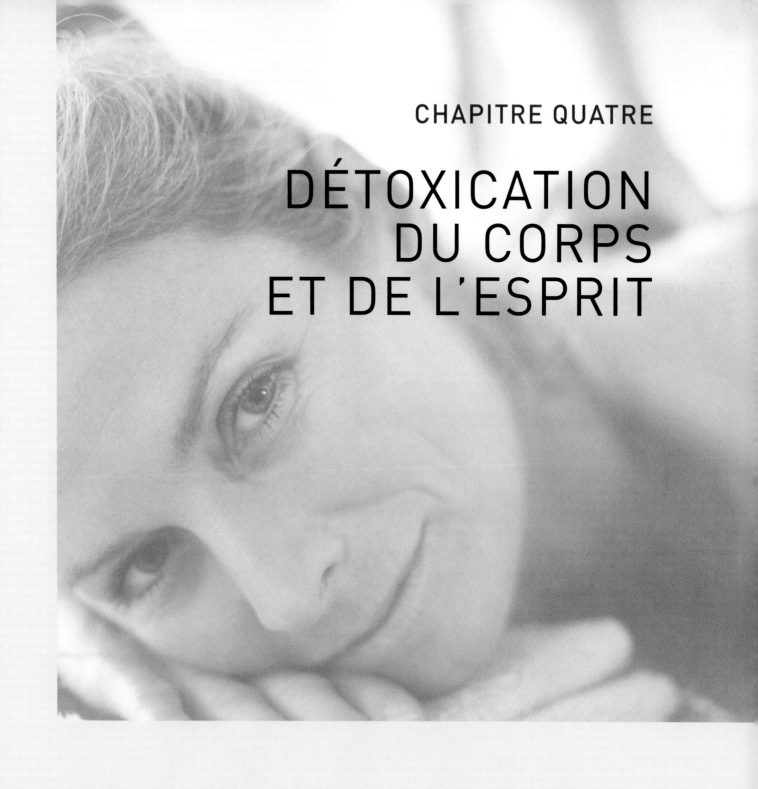

CHAPITRE QUATRE

DÉTOXICATION DU CORPS ET DE L'ESPRIT

ÉQUILIBRE DU CORPS ET DE L'ESPRIT

Pour réussir une cure détox, vous devez prendre soin simultanément de votre corps et de votre esprit, et suivre un régime alimentaire adapté. S'occuper de soi n'est pas un luxe mais une nécessité car le bien-être physique est intimement lié au bien-être mental. Les programmes d'exercice physique et de mise en beauté favorisant la circulation, la sudation, la respiration profonde et la souplesse viennent renforcer le processus de détoxication. D'un point de vue émotionnel, ils sont moteurs de régénération et de motivation.

LES PLANNINGS DÉTOX

Planning quotidien
- 5 minutes : brossage cutané
- 5 minutes : douche ou bain
- 20 minutes : exercice
- 10 à 20 minutes : thérapies de relaxation telles que méditation, visualisation, relaxation musculaire progressive et respiration profonde

Planning hebdomadaire
- Gommage exfoliant
- Soin complet du visage
- Massage du cuir chevelu et masque capillaire
- Massage des mains et des pieds

Détoxiquez votre corps

Ce chapitre vous montre comment augmenter votre vitalité en observant un rituel quotidien de soins aisés à mettre en œuvre à la maison. Les traitements corporels spécifiques – balnéothérapie légère, soins de beauté pour le visage, le corps et les cheveux, massages des pieds, aromathérapie, etc. – vous procureront une sensation de plénitude tout en améliorant le grain de votre peau et en renforçant les fonctions d'élimination de votre organisme.

Une partie est consacrée aux traitements spécialisés que vous aurez peut-être envie d'essayer pour étayer le processus de détoxication, des différents types de saunas et enveloppements corporels qui purifient le corps en stimulant l'élimination des toxines par les pores, aux massages qui favorisent la relaxation.

La pratique régulière d'un exercice physique est essentielle, non seulement pour vous détoxiquer mais aussi pour mener une vie heureuse et saine. Outre qu'il stimule la sudation, améliore le métabolisme général et renforce le processus de détoxication, l'exercice augmente l'estime de soi, diminue le stress et fait travailler l'organisme de manière plus efficace. Si vous avez coutume de négliger l'exercice, lisez ce chapitre et vous apprendrez pourquoi il joue un rôle important. Vous trouverez également des conseils pour démarrer une activité physique et en faire un plaisir plutôt qu'une corvée. L'exercice accroît la production de radicaux libres (page 13) par l'organisme et doit donc s'accompagner d'une ration suffisante de liquides et d'aliments antioxydants ou de compléments nutritionnels.

Détoxiquez votre esprit

Ce même chapitre explore également les diverses thérapies qui, en diminuant le stress essentiellement, maintiennent en forme et en bonne santé. Le stress a des effets désastreux sur la santé : il affecte le bon fonctionnement de l'organisme et accélère la production de toxines nocives. Grâce à une série d'exercices simples de méditation et de visualisation, vous apprendrez à maîtriser et à réduire votre stress, à détoxiquer votre esprit et à restaurer votre harmonie intérieure. Le repos, la relaxation et le ressourcement jouent également un rôle essentiel dans la réussite d'une cure détox. Les exercices de relaxation aident le corps à trouver un équilibre et empêchent les pensées négatives d'entraver son fonctionnement naturel.

L'ÉQUILIBRE NATUREL

Le corps et l'esprit tendent naturellement vers un état d'équilibre, ou homéostasie, garant de bonne santé. Pour entretenir cet équilibre, il convient de prendre soin de son corps comme de son esprit. Une santé optimale s'obtient par une alimentation saine, une bonne oxygénation, de l'exercice physique, du sommeil en quantité suffisante, de la relaxation, une bonne maîtrise du stress, un environnement peu pollué et une attitude mentale positive.

DÉTOXICATION DU CORPS

Un programme quotidien et hebdomadaire d'entretien corporel facile à mettre en œuvre à la maison vous permettra d'améliorer l'aspect de votre peau et de stimuler l'élimination des toxines. Il renforcera votre vitalité et résoudra peut-être vos problèmes de digestion. Pour mieux vous dorloter, offrez-vous au moins un traitement corporel spécialisé pendant la cure.

Gommage à sec

Chaque jour, vous évacuez environ 500 g de déchets par les pores, il est donc important de prendre soin de votre peau. Le gommage à sec aide celle-ci à « respirer » en nettoyant ses pores ; il améliore également son grain. De plus, il stimule les circulations sanguine et lymphatique, ce qui permet une excrétion plus efficace des déchets organiques dans les cellules, et limite la rétention d'eau.

Comment gommer votre peau

Utilisez une brosse en soies naturelles à long manche, ou un gant de friction en lin et coton. Évitez d'humidifier votre peau et ne touchez pas à votre visage dont la peau est fragile. Frictionnez la peau du bas vers le haut du corps en direction du cœur. Consacrez 5 minutes par jour à brosser votre peau à sec. Après ce type de séance, vous aurez des picotements et une sensation de chaleur parce que vous aurez stimulé votre circulation. Gommez votre peau quotidiennement ; elle deviendra vite plus lisse et plus douce.

GOMMAGE EXFOLIANT DU VISAGE

Mélangez 1 cuil. à soupe de miel avec 2 cuil. à café d'amandes en poudre et ½ cuil. à café de jus de citron. Massez votre visage avec et rincez à l'eau chaude.

1 Commencez par les pieds et remontez progressivement vers le haut du corps. Frictionnez le dessous et le dessus des pieds, puis les jambes.

2 Frictionnez en direction du cœur. Brossez doucement le ventre, en décrivant des cercles dans le sens des aiguilles d'une montre afin de suivre le cheminement du transit intestinal.

3 Levez les bras et frictionnez de la main à l'aisselle.

4 Frictionnez le dos, des fesses jusqu'à la nuque.

douche ou bain quotidiens

Selon sa température, l'eau modifie le flux sanguin. L'eau chaude est relaxante, elle dilate les vaisseaux sanguins, réduit la tension artérielle et augmente l'afflux du sang vers la peau et les muscles. Une meilleure circulation sanguine favorise l'évacuation des déchets organiques et envoie plus d'oxygène et de nutriments aux tissus pour soigner les lésions. L'eau froide est tonifiante, elle provoque le resserrement des vaisseaux sanguins superficiels, restreint le flux sanguin et envoie du sang vers les organes internes afin d'augmenter leur efficacité. Un bain (ou une douche) chaud suivi d'une douche froide aura un effet bénéfique sur la circulation et sur la peau.

Prenez une douche chaude après votre séance de gommage à sec, puis arrosez-vous d'eau froide pendant 1 minute, ou bien prenez une brève douche froide à la fin de votre bain.

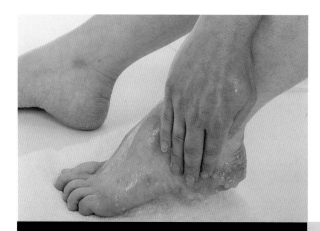

GOMMAGE CORPOREL EXFOLIANT

Vous pouvez acheter une crème exfoliante ou la préparer vous-même. Le sel est l'élément exfoliant, l'huile ou le yaourt et le miel hydratent la peau, et l'huile essentielle favorise l'élimination des toxines. Mélangez tous les ingrédients dans un bol jusqu'à obtention d'une crème fluide.

- 1 cuillerée à soupe de sel marin
- 2 cuillerées à soupe d'huile (olive, tournesol, etc.) ou de yaourt
- 1 cuillerée à soupe de miel épais
- 2 à 3 gouttes d'huile essentielle de marjolaine, rose, fenouil doux ou de genièvre

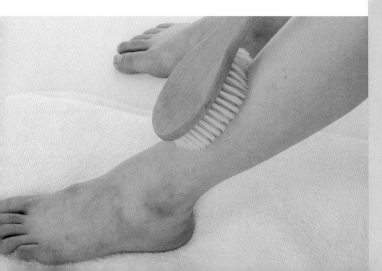

MASQUES ANTIOXYDANTS

Peaux sèches Écrasez 1 cuil. à soupe de flocons d'avoine entre vos doigts, laissez tremper 20 minutes dans une tasse d'eau bouillante et égouttez. Ajoutez 1 cuil. à soupe de miel, 1 jaune d'œuf et 1 cuil. à soupe de yaourt entier. Appliquez avec un disque en coton et laissez agir 15 minutes.

Peaux sensibles Mélangez 1 cuil. à café de gel d'aloe vera (vendu en pharmacie ou en magasin diététique) et 1 cuil. à soupe de yaourt entier. Appliquez et laissez agir 15 minutes.

Peaux grasses Mélangez 1 cuil. à soupe d'argile (vendue en pharmacie ou en magasin diététique), 1 jaune d'œuf, ¼ d'avocat et de l'hamamélis en lotion. Appliquez et laissez agir 15 minutes.

Peaux matures Écrasez un avocat mûr avec un peu d'huile d'olive, appliquez et laissez agir 15 minutes.

HUILES POUR FUMIGATION

Peaux sèches Cèdre de l'Atlas, géranium, néroli, rose, bois de santal.

Peaux sensibles Jasmin, lavande, camomille romaine, bois de rose.

Peaux grasses Pamplemousse, lemon-grass, patchouli, basilic.

Peaux matures et ridées Sauge sclarée, géranium, jasmin, lavande, rose, ylang-ylang.

exfoliation

L'exfoliation consiste à retirer en douceur les fragments de peau morte ; elle doit être réalisée au moins une fois par semaine pour aider la peau à éliminer les impuretés. Utilisez le gommage exfoliant (encadré page 75) ou remplissez une vieille chaussette de flocons d'avoine et plongez-la un moment dans l'eau de votre bain. Une fois les flocons ramollis, frottez-vous le corps avec. Pour une purification en douceur, versez 120 ml de vinaigre de cidre dans un bain tiède ; cela favorise l'élimination des toxines.

Exfoliation, mode d'emploi

1 Détendez-vous dans un bain chaud 10 minutes.

2 Sortez les membres de l'eau et frictionnez en cercles avec la crème exfoliante. Insistez sur les parties où la peau est plus rugueuse et n'hésitez pas à frotter fort, à la limite du supportable. Mettez-vous à genoux dans votre bain pour vous frictionner les fesses et le dos.

3 Sortez du bain puis tamponnez-vous délicatement avec une serviette propre. Appliquez une crème corporelle hydratante ou une huile.

huiles et émollients

Après le bain ou la douche, hydratez toujours votre peau avec une huile ou un lait corporel. Les huiles essentielles, toujours ajoutées à une huile support adaptée (page 83), aident la peau à éliminer les impuretés et la rendent douce. Frottez l'eczéma, le cuir chevelu si vous avez des pellicules et les taches de psoriasis avec de l'huile d'olive pour calmer les démangeaisons et faciliter la guérison.

bains aux sels d'Epsom

Durant votre cure de détoxication corporelle, essayez de prendre un bain aux sels d'Epsom une fois tous les cinq jours, sauf si vous avez la peau gercée ou si vous souffrez d'une affection cutanée. Les sels d'Epsom sont du magnésium pur dont le corps a besoin pour entretenir la santé des tissus, notamment ceux des muscles, des poumons, des vaisseaux sanguins et des nerfs. Le magnésium expulse les toxines du corps et améliore la circulation. Versez environ 1 kg de sels d'Epsom dans l'eau de votre bain et remuez jusqu'à dissolution. Détendez-vous dans ce bain 5 minutes puis massez votre peau avec un gant de massage adapté.

soins du visage

Nettoyez votre peau en profondeur une fois par semaine pour retirer les impuretés qui obstruent les pores. Commencez par nettoyer votre visage avec votre lait ou démaquillant habituel. Puis remplissez un bol d'eau très chaude et ajoutez une goutte d'huile essentielle adaptée à votre type de peau (encadré page ci-contre). Penchez-vous au-dessus du bol avec une serviette sur la tête, fermez les yeux et inspirez profondément pendant une dizaine de minutes. Essuyez-vous le visage avec un disque de coton puis tamponnez-le avec une serviette chaude et humide. Appliquez un masque purifiant du commerce adapté à votre type de peau, ou préparez-le vous-même en suivant les recettes de la page ci-contre. Laissez agir une quinzaine de minutes. Retirez le masque avec un linge mouillé frais. Appliquez ensuite une crème hydratante.

massage du cuir chevelu

Les massages et l'application de masques capillaires assainissent les cheveux. Effectuez ce soin une fois par semaine. Le massage aux huiles essentielles régule la production du sébum capillaire et améliore l'état du cuir chevelu. Utilisez 1 cuil. à soupe d'huile support (page 83) et 2 gouttes d'huile essentielle. Pour des cheveux gras, choisissez de l'huile de sauge sclarée, de géranium, de citron, de lavande, de cyprès ou de romarin ; pour des cheveux secs, de l'huile de camomille romaine (cheveux blonds), de lavande ou de romarin, et pour les pellicules, de l'huile de genièvre, de citron, de lavande ou de bois de santal.

Massez le cuir chevelu du bout des doigts pour faire pénétrer l'huile, laissez agir 30 minutes et rincez. Séchez avec une serviette et appliquez le masque capillaire.

masque capillaire aux fruits

Dans un robot culinaire, mixez ½ banane, ¼ de melon, ¼ d'avocat, 1 cuil. à soupe d'huile d'olive et 1 cuil. à soupe de yaourt. Répartissez à la racine des cheveux et recouvrez la chevelure entière. Enveloppez-vous la tête de film alimentaire et laissez agir 15 minutes. Rincez bien à l'eau chaude, faites un léger shampooing et rincez de nouveau. Laissez sécher vos cheveux à l'air libre.

soin des mains et des pieds

Ces techniques simples s'inspirent à la fois du massage (page 82) et de la réflexologie (page 86) pour éliminer les tensions et les toxines. Faites ce soin une fois par semaine.

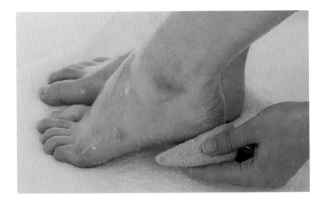

Massage des mains

Caressez-vous les mains pour les détendre et les réchauffer. Mélangez 1 cuil. à soupe de sel, 2 cuil. à café d'huile d'olive et 3 à 4 gouttes d'huile essentielle de lavande. Frottez-vous la totalité des mains, poignets compris, avec ce mélange. Laissez agir 1 minute et rincez à l'eau chaude. Avec le pouce, caressez le petit doigt, de la dernière phalange jusqu'au poignet. Procédez de même pour chaque doigt. Saisissez doucement un doigt avec les articulations des deux premiers doigts de l'autre main. Descendez jusqu'au bout du doigt en tirant comme pour déboucher une bouteille. Répétez ce mouvement deux fois sur chaque doigt, pouce compris. Massez la paume d'une main avec le pouce de l'autre main ; traversez-la de part en part plusieurs fois. Pressez la paume avec les articulations puis massez doucement. Procédez de même pour l'autre main.

Massage des pieds

Remplissez une bassine d'eau très chaude puis laissez tremper vos pieds dedans pendant une dizaine de minutes. À l'aide d'une pierre ponce, retirez la peau morte située sur les talons et les côtés des pieds en frottant énergiquement. Versez un peu d'huile de massage sur la paume de vos main puis frottez fermement vos pieds en remontant vers la cheville. Avec les pouces, massez la surface entière de votre pied en décrivant de tout petits cercles. Massez la plante de la même manière. Si vous touchez un point sensible, pressez avec le pouce jusqu'à ce que la douleur diminue. Puis massez le côté interne du pied, du talon à l'extrémité du gros orteil. Remuez les orteils puis tirez sur chacun d'eux. Procédez de même pour l'autre pied.

HYDROTHÉRAPIE DU CÔLON

Bien que ce soin ne fasse pas partie d'une cure détox conventionnelle, certains consultent un professionnel pour des lavements après leur cure. Ils évacuent les fèces agglutinées dans le côlon, de sorte que les toxines qu'elles renferment ne soient pas réabsorbées. L'on vous demandera de vous étendre à plat ventre avant de vous injecter lentement de l'eau tiède au moyen d'une canule insérée dans le rectum. Ce nettoyage se déroule par étapes : l'eau est injectée puis expulsée plusieurs fois jusqu'à ce que toute la zone soit traitée.

soins spécialisés

Les soins spécialisés, dispensés dans les instituts de beauté ou les établissements de remise en forme, facilitent le processus de détoxication et se révèlent utiles pour rééquilibrer votre état émotionnel, mental et spirituel. Les nettoyages de peau et les soins corporels divers contribuent tous à notre bien-être. Essayez de faire un soin de ce type au moins une fois par mois, même si vous ne faites pas de cure détox. Consultez divers instituts pour trouver le soin qui vous convient le mieux dans la limite de votre budget. Pour vous sentir bien de la tête aux pieds, terminez par une séance de manucure et de pédicure.

Les bienfaits

- Réchauffe et détend les muscles
- Diminue le stress et les tensions
- Améliore la circulation sanguine et lymphatique
- Aide le corps à éliminer l'excédent de liquide et les déchets organiques
- Tonifie les muscles et la peau
- Diminue la tension artérielle

Enveloppements

Les enveloppements provoquent la sudation, qui élimine les déchets organiques. Ils utilisent des argiles, des algues, des boues et des sels spéciaux, aux propriétés détoxiquantes et revitalisantes. Le corps est enveloppé d'un drap mouillé frais sur lequel on pose des cataplasmes chauds ou froids étalés sur des serviettes. Le tout est recouvert d'une couverture chauffante. Après avoir reposé ainsi 30 minutes, le corps se réchauffe et sèche le drap.

Soins aux algues

Les algues renferment des minéraux susceptibles de favoriser la sudation et la relaxation, de purifier et tonifier la peau. Parmi les soins proposés, mentionnons des enveloppements d'algues, des bains d'algues ou des aspersions d'eau de mer.

Bains de vapeur

Une séance dans un hammam (bain turc) aide à éliminer les impuretés de la peau et lutte contre la rétention d'eau. Le sauna est comparable au hammam, à ceci près qu'il génère de la vapeur sèche.

Soins corporels

Ils sont excellents pour détoxiquer le corps, détendre l'esprit et soulager du stress. Il en existe différents types :
• Le massage thérapeutique est un massage puissant, revigorant, qui favorise la circulation et la relaxation.
• Le drainage lymphatique s'appuie sur divers mouvements spécifiques visant à évacuer les nodules dans la circulation lymphatique et éliminer ainsi les toxines. Il a un effet extrêmement purifiant.
• Le shiatsu est un massage consistant à exercer une pression des doigts sur des zones précises du corps.

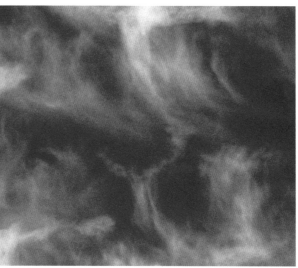

MASSAGE

Le massage thérapeutique est une technique ancestrale visant à restaurer un bien-être général et renforcer l'estime de soi, à stimuler les circulations sanguine et lymphatique, et à réduire les tensions. Il améliore l'oxygénation du corps et l'approvisionnement en nutriments des tissus corporels, éclaircit le teint et favorise l'élimination des déchets chimiques de l'organisme. C'est aussi une expérience agréable et profondément apaisante.

Il existe divers types de massages dont beaucoup font partie de thérapies complémentaires. À des fins de détoxication, le massage aux huiles aromatiques et le massage thérapeutique sont les plus indiqués. Vous pouvez vous masser seul mais l'effet ne sera pas aussi relaxant que si vous vous faites masser par un tiers.

S'il s'agit d'un massage corporel complet d'environ une heure, le praticien utilise une huile végétale légère ou du talc pour faciliter le glissement des mains sur la peau. Les mouvements massants sont effectués lentement et à cadence régulière, toujours en direction du cœur afin de stimuler la circulation sanguine et lymphatique.

Techniques de base

L'effleurage est un mouvement doux et lent qui s'effectue sur toutes les parties du corps ; il vise à réchauffer et à détendre les muscles ainsi qu'à stimuler la circulation. Les techniques de malaxage étirent et tonifient les muscles. Le pétrissage produit des effets voisins mais il se pratique uniquement avec les pouces et le bout des autres doigts. Les techniques de percussion, dont le tapotement, consistent en une série de coups brefs et fermes donnés avec la tranche de la main.

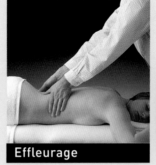
Effleurage

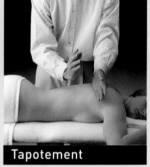
Tapotement

AROMATHÉRAPIE

L'aromathérapie utilise les huiles essentielles aromatiques extraites des herbes, des fleurs, des fruits et des arbres. Celles-ci pénètrent la peau et voyagent dans le corps via les vaisseaux sanguins et lymphatiques. Très puissantes, elles ne doivent être ni appliquées directement sur la peau, ni introduites dans le corps ; en outre, l'usage de nombreuses huiles est déconseillé aux femmes enceintes.

Les huiles essentielles sont diluées dans une huile support végétale – huile d'amandes douces ou l'huile de pépins de raisin, par exemple –, ou mélangées à une lotion ou une crème. Diluez 6 gouttes d'huile essentielle (vous pouvez combiner jusqu'à 3 huiles différentes) dans 4 cuillerées à café d'huile support. Cette quantité est suffisante pour un massage complet du corps.

Techniques de base
- **Massage** Diluez l'huile comme indiqué ci-dessus.
- **Bain** Ajoutez l'huile à l'eau du bain en remuant bien pour éviter de vous brûler la peau.
- **Fumigation** Versez 2 à 3 gouttes d'huile dans un bol d'eau bouillante puis couvrez-vous la tête d'une serviette et inspirez profondément la vapeur d'eau pendant quelques minutes.

Fumigation

Dilution de l'huile

LES HUILES DÉTOXIQUANTES

Dix huiles pour détoxiquer le corps
Basilic, fenouil, citron, genièvre, mandarine, marjolaine, menthe poivrée, pin, romarin, rose.

Dix huiles pour détoxiquer l'esprit
Camomille, cèdre de l'Atlas, citron vert, eucalyptus, géranium, jasmin, lavande, mélisse, rose, ylang-ylang.

EXERCICE PHYSIQUE

L'exercice aide le corps à éliminer les toxines ; à ce titre, il est une composante essentielle des cures détox. La pratique d'un sport accroît l'endurance, la souplesse et la force, et permet de maintenir le corps et l'esprit en bonne santé. Un sport d'endurance comme la nage, la marche ou le jogging offre également l'opportunité de réfléchir sur soi, de se détendre mentalement et de méditer.

Les bienfaits de l'exercice physique

• Permet aux systèmes corporels de travailler plus efficacement et donc d'éliminer les toxines
• Augmente la force musculaire ; prévient le mal de dos
• Oxygène le corps
• Favorise la respiration profonde, clé de la relaxation
• Provoque une fatigue physique qui favorise le sommeil
• Entraîne la production d'endorphine, un analgésique naturel de l'organisme, qui diminue l'anxiété, détend et met de bonne humeur
• Libère l'adrénaline et diminue ainsi le stress
• Aide à avoir une meilleure opinion de soi
• Fortifie le cœur et réduit la tension artérielle
• Contrôle le cholestérol et brûle les graisses
• Améliore la circulation
• Stimule le métabolisme
• Augmente la capacité de l'organisme à combattre les infections
• Améliore la mobilité et la stabilité articulaire, ce qui permet de rester actif et indépendant jusque dans le grand âge
• Fortifie les os
• L'exercice axé sur la méditation favorise la concentration et la coordination

Se mettre à l'exercice

Il n'est pas indispensable de s'inscrire dans une salle de sport pour se maintenir en forme. Vous pouvez inclure des exercices physiques dans votre quotidien en préférant monter les escaliers plutôt que de prendre l'ascenseur, en allant travailler à pied ou à vélo, en promenant votre chien, en emmenant vos enfants jouer au parc ou en vous aérant le week-end, ou simplement en mettant de la musique et en dansant dans votre salon.

Pour commencer, prévoyez de faire 15 à 20 minutes d'exercice au moins trois fois par semaine. Choisissez un sport que vous aimez – nage, marche, vélo, etc. – car vous le pratiquerez plus volontiers. L'exercice physique doit faire partie de votre routine quotidienne au même titre que la toilette ou les repas. Augmentez la durée et l'intensité de l'exercice à mesure que votre corps se raffermit et se muscle, à condition que vous vous sentiez bien pendant et après l'exercice. En revanche, si vous ressentez de la fatigue, reposez-vous jusqu'à ce que vous ayez retrouvé votre vitalité. Procédez par paliers, surtout si vous n'avez pas fait d'exercice depuis longtemps.

Une fois que vous avez gagné en force musculaire et en énergie, vous pouvez pratiquer des exercices cardiotoniques à un rythme régulier afin d'intensifier la détoxication et de mieux oxygéner votre organisme. Le vélo, la natation, le tennis, le yoga et l'aérobic sont tous des activités conseillées. Essayez de faire de l'exercice au moins une demi-heure par jour cinq fois par semaine.

CONSULTEZ VOTRE MÉDECIN

Si vous n'avez pas fait d'exercice depuis longtemps, si vous êtes sous traitement médical ou en surpoids, consultez votre médecin avant de démarrer une activité physique. Il vous conseillera certains types d'exercices adaptés à votre état.

RÉFLEXOLOGIE

Les massages de la main et du pied sont utilisés depuis longtemps pour promouvoir la relaxation et maintenir en bonne santé. Selon les réflexologues, les pieds et les mains constituent les véritables miroirs du corps. En exerçant une pression sur des points réflexes spécifiques, l'on peut soigner les organes correspondants et stimuler ainsi les pouvoirs thérapeutiques naturels de l'organisme. La réflexologie est une thérapie complémentaire intéressante pour détoxiquer le corps et l'esprit. Le massage des pieds favorise la circulation sanguine, une bonne distribution de l'oxygène et des nutriments dans le corps ainsi que l'élimination des déchets.

La réflexologie aide l'organisme à se détoxiquer en stimulant les organes qui ont une fonction dépurative. L'excitation des points réflexes contribue à l'évacuation des déchets organiques, qui se détectent sous forme de dépôts cristallins ou granuleux nodulaires dans les pieds ou les mains. L'objectif est de pulvériser ces dépôts et d'augmenter l'afflux sanguin pour expulser les toxines. Les principaux points réflexes sur lesquels travailler lors d'une cure détox sont ceux de la rate, du pancréas, de l'estomac, des glandes surrénales, du côlon, du foie, de la vésicule biliaire et des reins.

Techniques de base

En règle générale, le praticien travaille sur les pieds parce qu'ils sont plus sensibles. Il effectue un premier massage pour relaxer les pieds puis masse intégralement chaque pied pour stimuler les points réflexes. Il pratique ensuite un dernier massage pour pulvériser les dépôts cristallins et libérer les flux d'énergie. Le praticien déplace le plat du pouce sur la peau en exerçant et en relâchant la pression, puis il avance un peu et procède de même. Vous pouvez pratiquer la réflexologie vous-même sur vos pieds et vos mains, mais le travail d'un professionnel sera plus bénéfique.

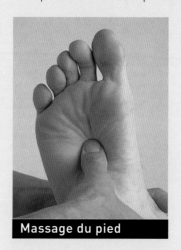

Massage du pied

YOGA

Pratiqué depuis des milliers d'années, le yoga était à l'origine un système de préparation mentale et physique au développement spirituel. Il existe de nombreux types de yoga qui présentent tous diverses postures, ou asanas, et techniques de respiration. Le yoga permet de se forger un corps souple et sain, d'équilibrer son esprit et ses émotions.

Certaines postures de yoga sont très efficaces pour se détoxiquer car elles stimulent la digestion et le système lymphatique. D'autres favorisent la circulation et l'oxygénation. Tout individu, quel que soit son âge ou sa forme physique, peut tirer profit de la pratique du yoga.

Techniques de base

Il est conseillé de suivre un cours de yoga dispensé par un professeur compétent. Après quelques exercices d'échauffement, il vous montrera comment pratiquer de manière correcte les différentes postures ; vous vous entraînerez avec les autres élèves et terminerez par une séance de relaxation.

Si vous faites du yoga en solo, procédez par paliers et ne forcez jamais votre corps à prendre des postures sans l'y avoir vraiment préparé. Essayez de pratiquer au moins 20 minutes par jour pour accroître votre énergie et votre endurance, tonifier vos muscles, améliorer votre digestion, mieux gérer votre stress et favoriser votre concentration. Laissez passer trois heures après un repas avant de commencer. Si vous avez des problèmes de cœur, de cou, de tension artérielle, d'oreilles ou d'yeux, consultez un médecin avant de réaliser certaines postures la tête en bas.

Étirement assis

Guerrier II

RESPIRATION ET RELAXATION

La pratique de la respiration contrôlée et de la relaxation musculaire simple peut être envisagée pour diminuer les effets physiques et mentaux du stress susceptible de provoquer l'accumulation de toxines indésirables dans votre organisme. Si vous avez de la difficulté à pratiquer seul des exercices de relaxation et de respiration, essayez de consulter un professionnel qui pourra éventuellement vous initier à diverses techniques.

respiration

La respiration est essentielle à la vie : lorsque vous respirez, l'oxygène pénètre dans les poumons pour être libéré dans le flux sanguin où il permet la production d'énergie nécessaire au fonctionnement de l'organisme. Si vous êtes stressé, votre respiration devient superficielle et ne sollicite que la partie supérieure des poumons. Le taux de gaz carbonique nécessaire pour maintenir l'acidité du sang baisse et les toxines nocives ne sont pas expirées. Cela affecte les nerfs et les muscles, provoquant parfois de la fatigue, des palpitations et des accès de panique. En respirant bien, ces manifestations désagréables tendent à disparaître, le rythme cardiaque ralentit et la tension artérielle et le taux d'hormones du stress diminuent.

Yeux fermés

Tête bien calée

Comment respirer profondément

Si votre respiration est trop superficielle ou trop rapide, l'exercice suivant – connu sous le nom de respiration abdominale – vous aidera à respirer plus profondément. Il utilise le diaphragme, un muscle large et mince qui sépare le thorax de l'abdomen, pour permettre aux poumons de se remplir et se vider avec un minimum d'effort.

1 Asseyez-vous dans une position confortable. Posez une main sur votre poitrine et l'autre sur votre diaphragme, juste sous le sternum. Inspirez doucement par le nez en vous assurant que la main sur votre poitrine ne bouge presque pas.

2 Retenez votre souffle pendant quelques secondes puis expirez lentement par le nez en laissant sortir le plus d'air possible.

3 Répétez l'opération trois ou quatre fois. Durant tout l'exercice, concentrez-vous uniquement sur votre respiration.

relaxation

Lorsque vous êtes tendu, vos muscles se contractent, ce qui entrave la circulation sanguine et l'élimination des toxines ; parfois, cela affecte même le fonctionnement de l'organisme. La technique de relaxation exposée ci-après vise à détendre les principaux groupes musculaires.

1 Allongez-vous en calant votre tête sur un oreiller. Fermez les yeux et efforcez-vous de respirer lentement.

2 Contractez le muscle du pied droit quelques secondes et relâchez-le. Contractez et relâchez le muscle du mollet puis celui de la cuisse. Procédez de même avec le pied et la jambe gauches.

3 Contractez et relâchez les muscles de la main et du bras droits, puis de la main et du bras gauches.

4 Contractez et relâchez une fesse, puis l'autre, et faites de même avec les muscles du ventre.

5 Montez les épaules jusqu'aux oreilles et restez ainsi quelques secondes, puis baissez-les. Répétez trois fois. Tournez lentement la tête d'un côté puis de l'autre.

6 Bâillez puis faites la moue. Froncez les sourcils et plissez le nez puis relâchez les muscles du visage.

7 Concentrez-vous de nouveau sur votre respiration. Remuez les orteils et les doigts, pliez les genoux et roulez sur le côté. Levez-vous lentement.

MÉDITATION ET VISUALISATION

La méditation et la visualisation, qui permettent de trouver une harmonie intérieure, favorisent la détoxication en diminuant le stress. En effet, lorsque celui-ci s'installe, l'adrénaline et l'hydrocortisone, les hormones du stress, perturbent le fonctionnement des systèmes immunitaire et circulatoire, donc l'élimination des toxines par l'organisme. Si vous n'avez jamais pratiqué la visualisation ou la méditation, vous trouverez peut-être les exercices un peu difficiles au début mais, moyennant une pratique régulière, ils deviendront vite familiers. Quand vous aurez appris à mieux contrôler votre esprit, vous serez capable de vous détendre dans un environnement bruyant.

Principes de base

Si vous êtes novice, il est préférable de consulter un professionnel pour apprendre à atteindre un état méditatif. Toutefois, si vous êtes suffisamment discipliné, vous pouvez très bien y parvenir seul. Afin que votre méditation soit fructueuse, respectez quelques principes de base :

• Installez-vous dans une pièce calme où vous ne risquez pas d'être dérangé.
• Pratiquez régulièrement, de préférence à heure fixe, l'estomac vide et dans une position confortable.
• Pour vous abstraire de votre environnement, concentrez-vous sur quelque chose : sur votre respiration ou sur un objet (une plante, une bougie ou une image), un mantra (un mot ou une phrase que l'on répète à l'infini, intérieurement ou à voix haute), un chapelet ou un komboloï que vous égrenez ; ou bien pratiquez une activité rythmique répétitive comme la natation ou le taï-chi-chuan.

visualisation

C'est une technique qui exploite l'imagination pour créer des images mentales positives permettant de gérer le stress et la maladie, mais aussi d'accomplir vos potentialités. En visualisant des images, des sons, des goûts ou des odeurs, vous pouvez utiliser la pensée positive pour stimuler les capacités thérapeutiques naturelles de l'organisme. La visualisation, qui suscite des réactions physiques et psychologiques positives par le biais du subconscient, contribue à diminuer le stress, ce qui est un objectif phare de la détoxication.

Méditation simple

1 Asseyez-vous dans une position confortable, le dos droit, les yeux ouverts ou fermés, selon la méthode utilisée. Posez les mains sur les cuisses.
2 Respirez lentement et en rythme ; essayez de rester immobile.
3 Concentrez-vous sur l'objet de votre méditation. Votre attention doit rester passive ; si votre esprit commence à vagabonder, chassez vos pensées puis concentrez-vous de nouveau.
4 Continuez tant que vous vous sentez à l'aise – quelques minutes au début, puis 20 minutes par jour.
5 Quand vous êtes prêt à arrêter, ouvrez les yeux puis prenez 1 minute pour reprendre pleinement conscience de votre environnement.

Visualisation simple

Choisissez un endroit calme et agréable où vous ne risquez pas d'être dérangé. Respirez lentement et efforcez-vous de vous détendre. Concentrez-vous sur l'image mentale que vous avez choisie. Pour lutter contre le stress, visualisez un paysage beau et apaisant, et imaginez que vous y êtes. Il est très utile de répéter des affirmations positives pendant que vous faites cela, comme « Je suis heureux et détendu. » Pour faciliter le processus de détoxication, vous pouvez vous visualiser totalement nettoyé et purifié à la fin de la cure et affirmer combien vous êtes capable de réussir cette cure. Essayez de pratiquer cet exercice au moins deux fois par jour.

CHAPITRE CINQ

SE DÉTOXIQUER EN UN WEEK-END

REMISE EN FORME À DOMICILE

Quel est le programme ?

La cure de détoxication alimentaire consiste à manger léger en incorporant des jus pour stimuler les organes ayant une fonction dépurative et reposer l'appareil digestif. En marge de cela, divers soins, dont l'aromathérapie, les massages et les gommages corporels vous sont proposés pour faciliter le processus de détoxication, vous donner bonne mine et vous procurer une sensation de bien-être général. Vous aurez également besoin d'exercice pour tonifier votre organisme et lui permettre d'éliminer plus aisément. Pour ce qui concerne le psychisme, la méditation et la visualisation vous aideront à clarifier votre esprit et à retrouver une harmonie intérieure.

L'environnement

Votre maison doit être propre et bien rangée – au moins les pièces que vous allez utiliser – afin d'avoir l'esprit tranquille à cet égard. Vos draps doivent être propres ainsi que votre tenue de nuit/de détente et votre peignoir. Augmentez légèrement le chauffage car vous ne serez pas chaudement vêtu.

C ette cure détox brève permettra à votre organisme de faire une pause pour évacuer sa charge en toxines et vous laissera frais et dispos, prêt à l'action. Elle inclut les éléments détoxiquants nécessaires à votre organisme pour se débarrasser des déchets organiques et améliorer votre état général. Saisissez l'occasion pour vous dorloter de la tête aux pieds. Un séjour dans un centre de remise en forme est onéreux, mais avec un minimum d'organisation, vous pouvez créer les mêmes conditions à domicile.

Matériel

• Assortiment de magazines, journaux ou livres sans rapport avec le travail
• Bloc-notes et stylo
• Matériel de dessin : papier, crayons de couleur, stylos feutres, peintures ou pâte à modeler
• Tapis ou couverture douillets
• Beaucoup de coussins ou d'oreillers
• Huiles essentielles pour la relaxation – lavande, rose ou jasmin. Diluez 6 gouttes d'huile essentielle pour 4 cuillerées à café d'huile végétale légère – huile d'amande douce ou de pépins de raisin
• Bougies
• Musique relaxante ou cassette de relaxation : la musique classique ou les bruits de la nature conviennent bien – si vous n'en possédez pas, empruntez des CD pour le week-end

Nourriture

• Assortiment de fruits et légumes
• Citrons non traités après récolte
• Tisanes et eau minérale ou filtrée
• Huile d'olive
• Assortiment de fruits à écale et de graines
• Yaourt au lait de chèvre ou de brebis
• Riz complet
• Herbes aromatiques fraîches
Parcourez la liste de courses des pages 32 et 33 pour composer vos menus et acheter les produits nécessaires.

Balnéothérapie à domicile

Pour ce qui est de la salle de bains, vous aurez envie d'être chouchouté comme dans un centre de balnéo-thérapie de luxe. S'il vous est impossible d'installer des bains chauds japonais, vous pouvez transformer votre salle de bains en un sanctuaire douillet, propice à la relaxation et à la revitalisation.

1 Préparez de grandes serviettes de bain moelleuses.
2 Allumez des bougies aromatiques – leur lumière douce et leur senteur auront un effet apaisant.
3 Mélangez quelques gouttes de votre huile essentielle préférée à de l'huile d'amandes douces. Stockez cette huile parfumée dans une bouteille décorative en verre et ajoutez-en quelques gouttes à l'eau du bain.
4 Pour le soin du visage, préparez un gommage exfoliant ainsi qu'un masque, des disques de coton, des lingettes démaquillantes et une crème hydratante.

EMPLOI DU TEMPS DÉTOX

Ce programme s'étale sur un week-end, moment de la semaine où l'on ne travaille généralement pas et où l'on peut se libérer de certaines contraintes. Si vous préférez, vous pouvez très bien l'appliquer en semaine. Planifiez votre programme détox à l'avance pour qu'il se déroule le mieux possible. Si vous avez un compagnon/une compagne et/ou des enfants, arrangez-vous pour qu'ils partent pendant le week-end. Il n'est pas obligatoire de suivre les horaires à la lettre ; ils sont indiqués pour vous donner une idée de la durée de chaque activité. Adoptez le rythme qui vous convient.

Avant de commencer

Les deux jours qui précèdent votre week-end détox, limitez votre consommation de thé et de café, de viande rouge, d'aliments transformés et d'alcool afin de réduire les symptômes de manque. Préparez-vous à avoir faim, mal à la tête, et à vous sentir léthargique le samedi.

À éviter

En suivant votre programme détox, éliminez quelques petites choses pour renforcer son efficacité. Évitez le café, l'alcool, les cigarettes et les médicaments de confort. Évitez le sel et l'huile, assaisonnez vos aliments avec du jus de citron ou de citron vert ainsi que des herbes aromatiques fraîches.

Les suggestions de repas ne comportent pas d'indications de quantités mais, pour mettre l'appareil digestif au repos, il est préférable de manger peu. Si vous avez faim, consommez des fruits ou des crudités.

vendredi soir

Commencez votre week-end détox en douceur et préparez tout ce qu'il vous faut. Faites les courses, enfilez des vêtements confortables puis dînez d'un poisson cuit à la vapeur et d'une salade. Faites le ménage des pièces que vous allez occuper et transformez votre salle de bains en spa (page 95). Enclenchez votre répondeur, et vous voilà prêt pour une remise en forme.

Épisode détente

Vers 20 h 30 environ, remplissez la baignoire d'eau très chaude et ajoutez quelques gouttes d'huile essentielle. Patientez 10 minutes pour laisser l'huile se diluer. Avant d'entrer dans le bain, vérifiez la température avec votre poignet. Préparez-vous une tisane à boire pendant votre bain, allumez des bougies et mettez une musique reposante. Immergez-vous dans le bain et détendez-vous. Sortez lentement du bain et séchez-vous. Comme vous devez certainement avoir sommeil, mettez votre pyjama et allez-vous coucher.

ALIMENTATION DU WEEK-END

Vous pouvez établir votre menu d'après la liste des aliments figurant pages 32 et 33, mais les suggestions suivantes vous faciliteront la tâche. Pensez à boire au moins huit verres de liquide par jour pour favoriser l'élimination des toxines.

Petit-déjeuner Des fruits frais ou du yaourt

En-cas de dix heures Une poignée de fruits secs, de noix ou d'amandes ou une grappe de raisin

Déjeuner Du fromage de chèvre grillé avec des légumes grillés, du riz complet et de la laitue

Goûter Une moitié d'avocat, ou des crudités avec de l'houmous (page 49), ou un jus de légume

Dîner Une soupe de légumes (page 50) et des fruits

SAMEDI

À votre réveil, flânez un peu au lit puis levez-vous vers 9 h 30. Buvez un verre d'eau chaude additionnée de jus de citron pour nettoyer votre palais et purifier votre foie, principal organe dépuratif. Poursuivez par une séance de gommage à sec (page 74) qui débarrassera votre peau de ses impuretés. Prenez une douche ou un bain chauds, suivis d'une douche froide pour tonifier vos muscles, stimuler la circulation sanguine et augmenter votre vitalité. Enfilez une tenue décontractée et prenez un petit-déjeuner léger.

Programme de la matinée

Écrivez dans votre bloc-notes tout ce qui vous passe par la tête. Si vous êtes angoissé, essayez de sérier vos problèmes et mettez-les en perspective. Si tout va bien, le fait de consigner vos pensées nourrira votre bonne humeur. Vous pouvez lister les choses que vous voulez faire, planifier des vacances ou simplement écrire ce qui vous passe par la tête. Pratiquez les exercices de respiration profonde et de relaxation musculaire indiqués pages 88 et 89. Si vous avez sommeil après cela, prenez le temps de faire une courte sieste. Avant de déjeuner, détendez-vous en lisant puis méditez (page 91). Cette activité diminuera votre stress et vous procurera une sensation d'apaisement.

Programme de l'après-midi

Faites une promenade dans la campagne, au bord de la mer, dans un parc, selon le lieu où vous êtes – n'importe quel endroit où vous pouvez profiter de la nature et prendre une bouffée d'air pur. Restez à proximité de chez vous et, en tout état de cause, essayez de ne pas prendre la voiture car le trajet risque d'augmenter votre stress.

Après votre promenade, massez-vous les pieds (page 79) pour détendre les muscles et accélérer l'assimilation des toxines. C'est maintenant l'heure d'une mise en beauté à domicile. Nettoyez votre visage en profondeur (page 77) et appliquez un masque maison (page 76) ou un masque du commerce adapté à votre type de peau. Massez votre cuir chevelu avec une dilution d'huile de lavande (adapté à tous types de cheveux) ou appliquez le masque capillaire aux fruits (page 78). Allez vous détendre dans le salon, lisez ou regardez un film.

Programme du soir

Prenez un souper léger, facile à digérer, puis faites une pause détente : lisez, écrivez, écoutez de la musique. Allumez quelques bougies et laissez-vous envahir par des pensées positives. Terminez la soirée par un massage des mains (page 79), puis allez vous coucher.

planning du samedi

9 h 30
jus de citron
et eau chaude

9 h 45
gommage à sec
et douche

10 h
petit-déjeuner

10 h 15
repos et détente

11 h 30
en-cas du matin

12 h
repos
et méditation

13 h
déjeuner

14 h
longue marche

16 h
goûter

16 h 15
séance de mise
en beauté

17 h 30
détente

19 h
dîner

20 h
relaxation
et massage
des mains

22 h
coucher

DIMANCHE

Programme de la matinée

Entamez la journée en buvant un verre d'eau chaude additionnée de jus de citron. Prenez un petit-déjeuner léger puis faites un gommage à sec ; habillez-vous confortablement. Faites quelques étirements pour détendre et échauffer vos muscles puis effectuez une marche rapide autour du pâté de maisons, bêchez votre jardin, tondez la pelouse, ou bien mettez de la musique et dansez dans votre salon – n'importe quelle activité convient si elle fait transpirer et accélère le rythme cardiaque. Puis vient le moment de débuter la séance de balnéothérapie pour activer le processus de détoxication. Faites couler un bain chaud et gommez votre visage (page 75). Passez au salon pour effectuer des exercices de respiration profonde et de relaxation (pages 88 et 89) avant le déjeuner.

Programme de l'après-midi

Les activités comme la peinture, le dessin ou la pâte à modeler, outre qu'elles détendent, sont aussi d'excellents exutoires à vos émotions. Ici, nul besoin d'avoir du talent car il ne s'agit pas de produire une œuvre d'art. Prenez conscience des divers arômes et textures des matériaux que vous utilisez et appréciez ce moment. Vous pouvez aussi visiter une galerie d'art.

Programme de la soirée

Votre week-end détox touchant à sa fin, vous devez avoir fait le tri dans vos pensées. C'est le moment de définir une série d'objectifs réalisables dans différentes sphères de votre vie – amis, travail, mode de vie, dépenses, par exemple – et de fixer des délais raisonnables pour réaliser tous ces objectifs. Vous êtes ensuite prêt à vous préparer un souper léger et à vous détendre devant la télévision ou avec un bon livre, avant de vous coucher.

L'après « détox »

Après cette brève cure, revenez en douceur à une alimentation normale. Au petit-déjeuner, mangez du yaourt au lait de chèvre, de brebis ou de soja avec du muesli et des fruits frais (pages 46 et 47). Plus tard dans la journée, ajoutez quelques protéines sous la forme d'une viande ou d'un poisson maigre poché ou grillé. Ne reprenez pas les mauvaises habitudes alimentaires que vous pouviez avoir mais ne vous restreignez pas au point d'être frustré. Accordez-vous quelques écarts quand vous êtes invités ou que vous allez au restaurant mais, le reste du temps, nourrissez-vous correctement en privilégiant les fruits et les légumes.

planning du dimanche

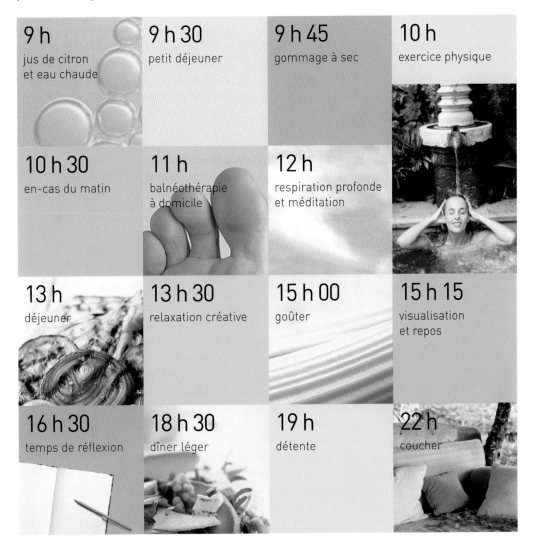

9 h
jus de citron
et eau chaude

9 h 30
petit déjeuner

9 h 45
gommage à sec

10 h
exercice physique

10 h 30
en-cas du matin

11 h
balnéothérapie
à domicile

12 h
respiration profonde
et méditation

13 h
déjeuner

13 h 30
relaxation créative

15 h 00
goûter

15 h 15
visualisation
et repos

16 h 30
temps de réflexion

18 h 30
dîner léger

19 h
détente

22 h
coucher

CHAPITRE SIX

L'APRÈS-DÉTOX

PRINCIPES DE BASE POUR UNE VIE SAINE

À la fin de votre cure « détox », vous devez vous sentir en meilleure forme et rempli d'énergie. À compter de maintenant, l'idée est d'éviter l'accumulation des toxines dans l'organisme en adoptant une alimentation saine. Vous pouvez également continuer à faire régulièrement de l'exercice, à vous relaxer et aussi à vous occuper de votre corps. Si vous évitez les excès alimentaires, buvez de l'alcool et du café avec modération et vous efforcez de gérer votre stress avec efficacité, il ne sera pas nécessaire de suivre un régime détox draconien.

une alimentation sur mesure

Lorsque vous recommencez à vous nourrir « normalement », faites-le progressivement et par groupe d'aliments. Le meilleur moyen consiste à tenir un journal alimentaire. Notez ce que vous avez mangé et bu, les quantités approximatives, les détails intéressants (s'il s'agit d'un produit biologique par exemple), et les éventuels symptômes ressentis pendant la journée, comme la fatigue ou les ballonnements. À la fin de la semaine, parcourez votre journal et repérez les phénomènes récurrents. Vous remarquerez peut-être que vous êtes fatigué ou avez mal à la tête après avoir mangé des pâtes. Si vous pensez ne pas supporter tel ou tel aliment, consultez un nutritionniste pour savoir comment modifier votre alimentation.

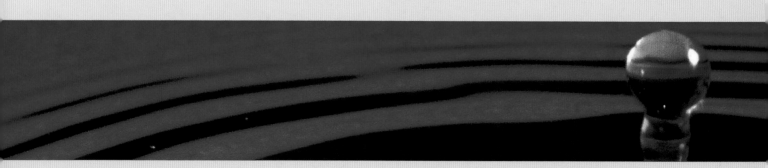

Comment manger sainement

Une fois que vous avez expérimenté les bienfaits d'une détoxication et que vous êtes habitué à vous nourrir différemment, vous pouvez appliquer les principes de détoxication à votre alimentation quotidienne. Dans ce domaine, une bonne organisation sera garante de réussite.

Bien s'approvisionner Remplissez les placards d'ingrédients permettant de préparer sans délai un repas sain et appétissant – des pains scandinaves, des lentilles, du riz complet, des tomates en boîte, des fruits secs, des fruits à écale, des graines, des pois chiches en boîte, des haricots blancs, du thon au naturel. Ayez dans votre congélateur une réserve de petits pois et de maïs surgelés.

Planifier à l'avance Planifiez vos repas pour la semaine et faites vos courses avec une liste ; vous éviterez ainsi d'acheter des produits superflus. Achetez les fruits et les légumes au détail – les emballages en plastique renferment des substances chimiques aux effets perturbateurs sur les hormones, messagers chimiques de l'organisme.

ALIMENTS FACILES À DIGÉRER

- Mangez du poisson gras au moins deux fois par semaine pour absorber votre ration d'acides gras essentiels, nécessaires à un bon métabolisme. Si vous n'aimez pas le poisson, vous pouvez consommer des graines de lin ou bien prendre un complément nutritionnel.
- Les produits à base de soja comme le tofu, le lait de soja et le yaourt au soja sont d'excellentes sources de protéines, pauvres en matières grasses.
- Les yaourts fermentés contiennent des bactéries utiles qui entretiennent la flore intestinale.
- Les baies comme le raisin, les myrtilles, les fraises et les framboises renferment de grandes quantités d'antioxydants.
- Le céleri, le concombre et la pastèque favorisent l'élimination de l'excédent de liquide.
- Parmi les aliments préférés de l'appareil digestif, on trouve la papaye, l'ananas, les carottes, le brocoli et le chou ; ils regorgent d'antioxydants et de fibres solubles.
- Consommez une sélection d'aliments de plusieurs couleurs car chaque couleur renferme différents phytonutriments bons pour la santé.
- Buvez au moins sept à huit verres de liquide par jour pour éliminer les toxines.

UNE NUTRITION OPTIMALE

Les nutriments sont extraits des aliments dans l'appareil digestif. Indispensables à la croissance des cellules, à leur entretien et à leur restauration, ils aident l'organisme à lutter contre les infections et les maladies, et lui fournissent l'énergie nécessaire à un fonctionnement efficace. Les principaux nutriments sont les hydrates de carbone, les graisses, les protéines, les vitamines et les minéraux. Les fibres et l'eau sont également des composantes essentielles d'une alimentation saine et équilibrée. Mangez des fruits et des légumes frais en grande quantité car ceux-ci sont pourvoyeurs de vitalité. La quantité de nourriture dont vous avez besoin dépend de votre âge, de votre sexe et de votre niveau d'activité.

Hydrates de carbone C'est la principale source d'énergie de l'organisme. Les hydrates de carbone simples, comme les sucres, fournissent une énergie instantanée mais sont de faible valeur nutritive. Les hydrates de carbone complexes, qui se trouvent dans le pain, les pâtes, le riz et les légumineuses, renferment des vitamines, des minéraux et des fibres. Les produits complets sont plus nutritifs que les produits raffinés car, digérés plus lentement, ils fournissent une énergie soutenue.

NUTRITION QUOTIDIENNE DE **1 À 5**

- 1 cuil. à soupe de graines en poudre (page 46)
- 2 portions de protéines
- 3 fruits frais
- 4 portions de céréales complètes
- 5 portions de légumes feuilles et de légumes racines

Protéines Une ration quotidienne de protéines, présentes dans la viande, la volaille, le poisson, les œufs, les fruits à écale et les haricots, fournit les éléments indispensables à la croissance, à l'entretien et à la restauration des cellules. Trois portions de protéines par jour sont nécessaires.

Graisses Elles sont essentielles pour la santé. Elles isolent le corps, enveloppent les organes vitaux et peuvent se transformer en énergie. Les graisses sont indispensables au fonctionnement du cerveau et du système nerveux. Les acides gras non saturés jouent un rôle crucial dans la production d'énergie, la fabrication des cellules, le transport d'oxygène, la coagulation du sang et l'élaboration de la prostaglandine, une substance hormonale.

Vitamines et les minéraux Ils ne sont pas pourvoyeurs d'énergie, mais les hydrates de carbone, les protéines et les graisses dépendent d'eux pour libérer l'énergie des aliments. Les vitamines et les minéraux activent des enzymes (des protéines qui agissent comme des catalyseurs en accélérant les réactions biologiques), jouent un rôle important dans la solidité des os et le contrôle de l'activité hormonale, et régulent l'eau.

Phytonutriments Ce sont des composés végétaux qui combattent les radicaux libres, augmentent l'immunité, réduisent l'inflammation, luttent contre les bactéries et les virus, et diminuent le taux de cholestérol. Ils sont présents dans les fruits et les légumes, les fruits à écale, les produits au soja, les herbes, les légumineuses et les céréales complètes ; vous pouvez les absorber en abondance en consommant une grande variété de fruits et de légumes de couleurs différentes au quotidien.

Antioxydants Ce sont des substances qui protègent l'organisme des dommages causés par les radicaux libres. Présents dans les fruits et les légumes, les fruits à écale, les légumineuses et les aliments complets, ils incluent divers phytonutriments, des enzymes, des vitamines et des minéraux.

UNE ALIMENTATION SANS TOXINES

- Choisissez des produits biologiques.
- Buvez beaucoup d'eau filtrée.
- Alternez les aliments, en particulier les allergènes courants comme les produits laitiers, le blé et la levure.
- Achetez les aliments issus de la production locale plutôt que d'autres qui ont voyagé.
- Cuisez les aliments dans des ustensiles en fer, en inox ou en porcelaine – le cuivre risque de détruire les nutriments essentiels.
- Évitez les plats tout prêts et les produits raffinés, et réduisez votre consommation d'alcool (essayez de passer au moins deux jours sans prendre d'alcool).
- Évitez les aliments frits.

SE DÉTOXIQUER D'UN EXCÈS D'ALCOOL

Il nous arrive parfois de boire plus que de raison. Les effets secondaires les plus communs, communément appelés « gueule de bois », sont les maux de tête, la nausée et la fatigue résultant d'une déshydratation combinée à une incapacité du foie à éliminer assez vite les toxines. Ce programme est conçu pour vous aider à atténuer ces effets et à remédier au désordre intérieur et extérieur. Cela ne signifie pas pour autant que vous puissiez boire à l'excès chaque fois que vous en avez envie. À long terme, l'abus d'alcool nuit à la santé ; si vous ressentez une quelconque accoutumance, consultez un médecin.

PETIT-DÉJEUNER DU LENDEMAIN

1 petite banane coupée en rondelles
1 yaourt fermenté allégé
1 cuil. à café de miel
1 cuil. à café de graines de tournesol
1 cuil. à soupe de muesli

Mélangez tous les ingrédients et mangez. Ce petit-déjeuner a pour fonction d'équilibrer votre taux de sucre dans le sang et de vous donner de l'énergie. La banane vous réapprovisionne en potassium, un élément indispensable pour stabiliser le volume de liquides dans le corps et maintenir un équilibre entre acidité et alcalinité.

avant de commencer à boire

Faites le plein d'eau
Buvez au moins sept à huit verres d'eau chaque jour précédant votre soirée ; vous serez assuré d'être bien hydraté et donc de mieux éliminer les toxines.

Mangez
Prenez un repas avant de sortir. Ne buvez jamais à jeun ou l'estomac vide car l'alcool est très acide.

Complément nutritionnel
Prenez un comprimé de complexe de vitamines B ainsi que 1 g de vitamine C, des vitamines qui entrent en action quand l'alcool se décompose dans l'organisme.

pendant la soirée

Buvez lentement

Une technique astucieuse consiste à boire un verre d'eau après chaque verre de boisson alcoolisée.

Évitez les bulles

Les bulles des boissons alcoolisées pétillantes, comme le champagne ou le rhum-coca, accélèrent l'absorption de l'alcool et enivrent plus rapidement.

Buvez en fonction de votre taille et de votre sexe

Les femmes assimilent moins facilement l'alcool.

Réhydratez-vous

Buvez beaucoup d'eau avant de vous coucher et posez un verre d'eau à côté de vous afin de boire une gorgée si vous vous réveillez dans la nuit. Pour diminuer l'acidité stomacale, ajoutez du jus de citron frais à l'eau.

le lendemain

Buvez beaucoup

Buvez de l'eau pour vous réhydrater – un verre toutes les demi-heures. Les jus de fruits et de légumes frais sont riches en antioxydants et contribuent à éliminer l'alcool. L'eau minérale gazeuse réoxygène le sang.

Complément nutritionnel

Prenez un comprimé de complexe de vitamines B et 1 g de vitamine C.

Évitez le thé et le café

Outre qu'ils sont acides et irritent l'estomac, le thé et le café sont des diurétiques qui aggraveront votre déshydratation.

Mangez bien

Prenez un petit-déjeuner sain en suivant les conseils de l'encadré de la page ci-contre. Si vous avez envie d'œufs au bacon et de pain, renoncez-y car ce sont des pourvoyeurs d'acidité qui vous brouilleront l'estomac. Pendant toute la journée, consommez des aliments qui n'augmenteront pas la charge en toxines de l'organisme : du riz complet et des légumes, par exemple.

Exercice physique modéré

Faites une longue promenade pour purger les toxines.

Hydrothérapie

Prenez un bain relaxant avant d'aller au lit et essayez de vous coucher tôt.

GLOSSAIRE

Acide aminé Substance organique, constituant important des protéines

Acide gras essentiel Acide gras non saturé (c'est-à-dire sans cholestérol), essentiel pour la santé

Adrénaline Hormone sécrétée en réponse à une situation de stress

Allergène Substance qui provoque une réaction allergique

Allergie Réaction anormale de l'organisme à un aliment ou une substance étrangère

Antioxydant Substance qui permet de se protéger des radicaux libres potentiellement nocifs

Bactéries Micro-organismes présents dans l'air, la terre et l'eau ; certaines sont bénéfiques pour la santé, d'autres néfastes

Bétacarotène Pigment végétal jaune orangé (qui est masqué par le pigment vert de la chlorophylle dans les légumes comme le cresson)

Bioflavonoïdes Groupe de pigments végétaux qui donnent aux plantes leur couleur et sont antioxydants

Cardiovasculaire Relatif au cœur et aux vaisseaux sanguins

Cholestérol Substance grasse présente dans le sang et les tissus qui, à taux élevé, peut abîmer les artères

Enzyme Un type de protéine qui catalyse diverses réactions chimiques dans l'organisme

Gluten Complexe de protéines présent dans le blé ou le seigle

Graisse saturée Graisse dérivée de produits animaux contenant beaucoup d'acides gras et de cholestérol

Hormones Messagers chimiques transportés dans le sang qui affectent le fonctionnement des tissus et des organes du reste de l'organisme

Métabolisme Ensemble des transformations qui s'accomplissent dans l'organisme ; moyen par lequel la nourriture est transformée en énergie

Probiotiques Bactéries luttant contre les maladies dans l'appareil digestif

Prostaglandine Substance hormonale dérivée d'acides gras dont la production peut être influencée par l'alimentation

Système immunitaire Globules blancs et protéines appelées anticorps qui protègent le corps des infections et des toxines en neutralisant ou en détruisant les corps étrangers tels que les bactéries et les virus

INDEX